CAMBIA TU MENTE CAMBIA TU VIDA

Lecciones de amor, liderazgo y transformación

GARRAIN JONES

Cambia tu mente Cambia tu vida Garrain Jones

11271 Ventura Blvd. #432
Studio City, CA 91604

ISBN: 978-1-7341555-1-8

Dedicación

Este libro está dedicado a todos los que han caído abatidos, pero han encontrado una manera de levantarse de nuevo. Ustedes son mis héroes y sus testimonios han iluminado un camino que millones más y yo mismo hemos recorrido y superado. No tienen idea de lo poderosas que son sus historias. Sigan usando todas las plataformas que puedan para compartir lo que es posible a través de sus testimonios.

Regalo gratis: 20 maneras de iniciar
un estilo de vida saludable

¿ESTÁS LISTO PARA PONERTE EN FORMA?

Ve a www.GarrainJones.com para descargar gratis,
20 maneras de iniciar un estilo de vida saludable.
¡Visita nuestro sitio y descárgalo YA antes
de que se te olvide!
www.GarrainJones.com

Agradecimientos

En primer lugar y antes que nada, le agradezco a Dios por su dirección divina toda mi vida. Si no fuera por mi camino con el Señor, no seguiría vivo para contar mi historia.

Gracias a mi madre, Sherian Jones, por ser mi principal apoyo toda mi vida. Siempre has hecho todo lo posible para asegurarte de que Anthony, yo mismo y todos a nuestro alrededor siempre estuvieran en buenas manos. Eres una verdadera luz. Te amo mamá.

Gracias a mi hermano, Anthony, el historiador de la familia, quien me ha enseñado tanto sobre la importancia de saber de dónde vengo y todo lo demás. Te amo hermano.

Gracias a mi hija, Kylia, y a su mamá, Laura, por enseñarme a ver a las mujeres en su luz más radiante. Han sido mis más grandes maestras y me han enseñado algunas de las lecciones más grandes. Las amo a las dos y amo cómo hemos aprendido a volver a edificar nuestra familia con Dios como la base.

Gracias a mi papá, Tony. Descansa en paz. Aún en los momentos más duros de tu vida, desde muy dentro de ti, diste la cara por mí y me dijiste que siguiera mi corazón y que hiciera lo que amaba. Es un consejo que he seguido y ha hecho una diferencia en la vida de millones de personas. Gracias papi.

Le agradezco a mi familia de sangre porque han sido y siempre serán la familia perfecta para mí. Entre nosotros hemos aprendido tantas lecciones hermosas. Tanto poder fluye en nuestras venas. Ahora puedo decir que no solo son mi familia, sino que siento su esencia cuando estoy con ustedes y pienso en ustedes. Los amo a todos.

Gracias a Monika Zands por tu guía espiritual y amistad todos estos años. Creaste el espacio para verme a mí mismo de una manera que nunca lo había hecho antes. Dios tiene un plan muy especial para ti. Te agradezco desde el fondo de mi corazón.

Le agradezco al Pastor Tourè Roberts por enseñarme que no tengo que apartarme para caminar con el Señor. Con él aprendí que está hablar bien del modo que lo hago y que mi trabajo todavía puede ser mi ministerio. Cuando descubrí que no tengo que hablarle a la gente como en la iglesia para traducirles el espíritu es cuando todo cambió para mí.

Le agradezco a mi esposa, quien es todo para mí, Blair Jones, por ser la amplificadora de mi alma. Mi esencia se enriqueció como nunca desde que entraste a mi vida. Era la parte sin descubrir que ha marcado la diferencia más grande en mi vida. Te amo, mi reina de reinas.

Gracias a Mark, Jill, Brian y a toda mi familia de salud y bienestar. Gracias por incluirme en uno de los mejores sistemas de apoyo de los que he formado parte. Me emociona que estamos haciendo una diferencia en este mundo.

Gracias a una de mis mejores amigas, Cristi Burnham, y la familia Burnham por mostrarme un amor tan especial. Gracias por verme y siempre preguntarme cómo estoy y cómo está mi corazón. Amo a toda su familia. ¡C Bone y Burndog! ¿ESTÁN LISTOS?

Gracias a mis dos maestras favoritas de todos los tiempos: Mrs. Cushenberry y Ms. Reznick Gutentag. Ustedes creyeron en mí cuando sentía que nadie más lo hacía. Cuando la gente pensaba que no yo valía y decían que era un mal muchacho, las dos decían "Él no es malo. Solo está aburrido y necesita retos". Nunca me olvidaré que me hicieron sentir tan especial. Gracias por ser un gran ejemplo de cómo los maestros pueden verdaderamente apoyar el desarrollo de los niños.

Gracias a Margo Majdi. Descansa en paz ángel. Nosotros nos hacemos cargo a partir de ahora. Tu luz plantó una semilla de grandeza en millones, yo entre ellos. Gracias por vivir tu propósito de vida hasta el último aliento. Te amo 4 4 4 4.

Índice

¿Quién eres tú?

dadilatnem!

Sé el ampio

"El cambio es más difícil al principio, más desordenado en el medio y mejor al final."

Robin Sharma

Cambia tu etnem
Cambia tu vida

YO SOY

Prólogo

Mi nombre es Garrain Stephán Jones. Yo SOY una fuerza poderosa de amor y libertad que inspira grandeza en mí mismo y los demás.

SOY un seguidor de Jesucristo y escucho música trap, luego cambio a música clásica en la siguiente canción. Sí, sé que es bien dinámico, pero ese es Garrain para ti.

En lo que respecta a este libro, el mensaje en sus páginas no es específico a una religión. El espíritu me ha guiado a transmitir este mensaje a través del canal de mi jornada. He sido llamado a compartir de forma vulnerable mis experiencias personales y las lecciones aprendidas mientras buscaba una mejor calidad de vida. Espero que encuentres el mensaje sumamente poderoso cuando leas y vuelvas a leer el libro. Con frecuencia, repito lo que digo para dejar un punto claro, y normalmente no uso palabras grandes o un vocabulario sofisticado. Así que lo que tú lees traduce cómo yo me comunico todos los días. En este libro también compartí algunos de mis poemas, amplificadores de página e ilustraciones para conectarte aún más con el mensaje.

El regalo más grande que podemos hacerle al mundo es nuestro yo auténtico. YO SOY el QUE SOY.

Aprendí, por las malas, que si no te dices a ti mismo quien eres, eventualmente vivirás una vida basado en lo que los demás piensan que eres. Es cómo vivir en la celda una prisión dentro de la celda una prisión, lo que te hace que perder tu propio sentido de ser. Ese era yo.

Hubo una época en mi vida en la que no se me permitió ser yo mismo. Sentí que hacía las cosas por hacerlas, lo que me habían dicho debía hacer. Al estar tan joven, no sabía que ya tenía una voz y una idea clara de quien era y lo que yo quería. Todo empezó a salirse de control y mi vida se convirtió en un una ruina emocional. Aunque era muy bueno para fingir y presentar una sonrisa falsa, muy dentro de mí sentía como que me estaban aplastando la felicidad.

A los 32 años tenía cientos de miles de dólares en deudas. Tenía más de quince multas por estacionamiento a la vez. No tenía una conexión verdadera con mi familia. Mi novia acababa de terminar conmigo, y arruiné la relación con mi hija. Era un ex presidiario que vivió en su coche por casi dos años y medio. No me importaba si vivía o moría.

¿Alguna vez has tocado fondo? Yo lo he hecho más veces de las que puedo contar.

Solía gritarle a Dios, preguntándole porque sentía como si estuviera viviendo las vidas de quince o veinte personas diferentes. Estaba estancado sin visión, ni metas, y mi orgullo, mi ego y mis excusas alejaban todas las oportunidades que encontraba. Pensarías que enfocándome tanto en mí, tomaría responsabilidad por el colapso de mi vida. Más bien, le eché la culpa a todos los demás por lo que estaba pasando, y a quien más señalaba con el dedo era a Dios.

Un día, en uno de esos períodos en los que culpaba a todos por mi situación, me encontraba sentado en un estacionamiento en la esquina de La Brea Avenue y Hollywood Boulevard, en Los Ángeles. Era un cantante, modelo y hombre acabado. Eran las 3:43 de la mañana en agosto del 2011. Estaba sudando frío, llovía y tenía rota la ventana derecha del auto porque alguien se había metido a robar la noche anterior. Me había alcanzado al fin toda esa culpa. Llegó el momento en el que al fin me rendí.

Lloré y eché maldiciones. Me corrían las lágrimas por la cara y tenía los ojos rojos. Hice un sonido que no sabía los humanos podían hacer. Vacié mi dilapidado tanque espiritual. De repente, una fuerza se apoderó de mí y grité las palabras exactas de lo que yo quería, como si le estuviera dando al universo una dirección específica en el GPS de mi vida.

"¡OK! ¡OK! ¡OK! Ya no quiero pelear. ¡Estoy cansado de pelear!

¡Quiero estar sano!

¡Quiero ser feliz!

¡Quiero que solo me rodee gente positiva!" "¡Quiero viajar por el mundo e inspirar a las personas! Quiero ganar mucho dinero, pero quiero que el dinero represente algo en lo que creo apasionadamente y que haría gratis.

¡Solo dame una señal!"

Fue la oración más pura que he dicho en mi vida. Fue la voz dentro de mí saliendo de la jaula que me había tenido encerrado por lo que parecía toda mi vida. Fue un nuevo comienzo.

Dos semanas después, estaba en una gasolinera en Inglewood, California, con mis últimos dos dólares. Un hombre que vivía en la calle se me acercó pidiendo dinero. Le dije,

"Tú tienes más dinero que yo".

Pasó la cosa más rara cuando noté que sus pupilas cambiaron y me dijo mientras se alejaba, "Cambia tu mente. Cambia tu vida".

Fue en ese momento que tuve una interrupción consciente. Fue como si toda mi vida hubiera sido una mentira por mi manera de pensar. Respiré profundo y me hice esta pregunta: *"Si tengo la mente fija en algo, ¿es por eso que el resultado es lo que es? Entonces, ¿si hago algo diferente con las mismas circunstancias, mi vida puede cambiar?"*

Ese preciso momento fue el inicio de una filosofía que me inspiró a vivir la vida de forma completamente diferente. Comencé a hacerlo todo del modo opuesto a como normalmente lo hacía en las áreas de mi vida donde no era feliz, como si un angelito en mi hombro me susurrara al oído:

"*Cambia tu mente, cambia tu vida*", con cada decisión que tomaba.

Aquí tienes unos ejemplos de cambia tu mente, cambia tu vida. Podía haber una tormenta con truenos afuera. Yo decía,

"pero el sol está justo detrás de esas nubes oscuras".

Así que el sol siempre sale, sin importar el clima. Si normalmente me despertaba tarde, dejándolo todo para después y siendo perezoso: *cambia tu mente, cambia tu vida.*

Luego me despertaba temprano, me fijaba una meta y hacía ejercicio. Leía habitualmente las revistas de chismes, me llevaba con gente negativa que no tenía metas y se quejaba todo el tiempo, o iba a clubs nocturnos para encontrar a una chica para llevar a casa, *cambia tu mente, cambia tu vida.*

Poco después empecé a leer libros de autoayuda, ir a seminarios de liderazgo, buscar mentores y llevarme con gente que estaba encontrando su propio propósito en el mundo. No sabía que a nivel subconsciente, me estaba saliendo del patrón que había vivido toda mi vida.

Hoy, gracias a esa filosofía, cada cosa que había pedido en mi momento de despertar se multiplicó al hacerse realidad. Soy más feliz y estoy más sano que nunca. Me rodea únicamente gente positiva. Hablo en escenarios inspirando a cientos de miles de personas por todo el mundo y gano mucho dinero haciendo algo en lo que creo apasionadamente y que haría gratis. Ahora vivo una vida que superó mis sueños más alocados y sigue en expansión. Cuando entregué mi vida desde ese espacio donde sentí que había quedado despojado de todo, me di cuenta de que podía crear cualquier tipo de vida que yo deseara. Ya no era un esclavo del entorno mental en el que crecí, en el que creía que tenía control.

Es importante para mí compartir mi historia no editada para que la relevancia de escribir el libro *Cambia tu mente, cambia tu vida* pueda crear un llamado a la acción lleno de inspiración para quienes están pasando momentos difíciles en su vida y buscando una salida.

Hay muchos niveles en esto que llamamos vida, y no importa quién seas o de dónde vengas, siempre hay otro nivel al que aspirar. Tan solo la idea de vivir en un mundo donde la gente viva verdaderamente su pleno potencial me llena de emoción.

"Creo que algunas personas podrían vivir toda su vida sin saber nunca que podrían haber sido los mejores en lo que fuera. Nunca cambiaron lo que fuera para perseguir lo que fuera, por eso, se conformaron con... lo que fuera."

Atte.
El Siguiente Nivel

Cambia tu mente
Cambia tu vida

"Quítate las cadenas de tu cerebro"

Robin Reznik Gutentag

(Mi maestra de arte del kínder)

La conciencia viene primero

"Si no tienes consciencia de algo, no lo puedes cambiar."

Introducción

Nunca planeé escribir un libro, pero cuando empecé a documentar cada vez más mi odisea en las redes sociales y compartía las lecciones aprendidas durante mis tribulaciones que me hacían crecer, la gente me empezaba a contactar más y más. Me contaban del impacto que mis experiencias de vida estaba teniendo en sus propias vidas y cómo mi vulnerabilidad al compartir mi testimonio los inspiraba a hacer cambios importantes. Cuando la gente empezó a enviarme mensajes y compartir los increíbles resultados que habían obtenido al cambiar su mentalidad, sabía que tenía algo grande entre mis manos.

Luego salí a las calles porque quería ver cómo se sentían otras personas. Me le acerqué a más de 2,000 perfectos desconocidos de ciudad en ciudad, con tarjetas que decían:

"Si le pudieras hacer tres preguntas a Dios que sientes que cambiarían tu vida para mejor, ¿qué le preguntarías?"

Más del 80 % de las personas preguntó lo siguiente:

¿Cómo me amo a mí mismo?

¿Cómo encuentro la felicidad?

¿Cómo cambio mi vida para mejor?

¿Cuál es mi propósito?

Aún si mis viajes por más de 60 países me conectaron con personas de muchas diferentes nacionalidades, ascendencias, religiones, edades y géneros estos últimos tres años, siempre obtenía la misma respuesta. La mayoría de la gente buscaba maneras de cambiar su vida, pero no tenía idea de dónde empezar. Yo mismo me había hecho esas mismas preguntas, así que me identificaba al 100 %. Cuando descubrí las respuestas en mi propia vida, sabía en mi corazón de corazones que esas respuestas no me pertenecían solo a mí, eran también para quienes buscan respuestas a la vida.

Escribí este libro para las personas que están buscando una salida de sus vidas monótonas, guiándolas a recordar quiénes son a fin de que tengan las herramientas para vivir una vida extraordinaria sin arrepentimientos. La respuesta se encuentra por dentro. Cada ser humano nace pleno y lleno de amor, ya que es nuestro estado natural, pero la mayoría no es consciente de eso. Si no tienes conciencia de algo, no lo puedes cambiar. Así que este libro te ayudará a tomar conciencia de lo que te detiene de liberar tu grandeza y el ser poderoso que fuiste llamado a ser. Descubrirás cómo amarte a ti mismo, crear confianza, sanar relaciones rotas y vivir una vida llena de abundancia y vitalidad.

Descubrirás tu propósito al usar tu corazón y tu voz para hablar y SER tu verdad.

Descubrirás tu vida verdadera, en lugar de la que se te dio.

Sí, cambiar tu vida puede ser difícil. Es como si fuera un idioma extranjero. Imagínate que hubieras crecido hablando solo inglés toda tu vida y luego por casualidad alguien te da un libro en japonés y te dice,

"¡Hey! lee esto".

Sería difícil leerlo. Necesitarías meterte de lleno en el nuevo idioma hasta que tenga sentido. Eso es exactamente lo que pasa cuando tratas de cambiar tu vida. Has estado viviendo y pensando de una manera toda tu vida, es como si fuera un idioma, así que si quieres cambiar, es como si alguien te diera un libro en otro idioma. Tendrías que anular todos esos años metiéndote de lleno al nuevo idioma del cambio. Se trata de dominar la práctica de renunciar y aceptar nuevos pensamientos, hábitos y acciones hasta que lo entiendas.

¿Por qué morir infeliz cuando puedes hacer algo al respecto? El cambio es difícil, pero vale la pena, especialmente cuando tienes una vida que vale vivir.

En este libro comparto la sabiduría que he adquirido al crecer en esta trayectoria loca llamada vida. No tienes que ir a prisión como yo para sentir que eres prisionero de tu propia mente.

Si sientes como que estás atrapado en un trabajo que no te gusta y te quedas allí, es una prisión.

Si te quedas en una relación en la que no quieres estar, es una prisión.

Si tu no vida no está donde quieres estar y nada de lo que haces parece funcionar, es una prisión.

Todos estos ejemplos justifican un cambio. Cuando actúas de forma diferente en las mismas circunstancias, tendrás un resultado diferente en la vida.

Puedes usar estas poderosas lecciones y herramientas en este libro para redirigir y mover tu vida en una dirección en la que sepas quién eres, por qué estás aquí y hacia dónde vas.

Cambia tu mente, cambia tu vida será tu mayor descubrimiento.

"...transformaos mediante la renovación de vuestra mente".

(Romanos 12:2).

Cuando la noche se vuelve día
y la divina naturaleza fluye
Finalmente despierto de esta pesadilla
Para ascender a lo que elijo

| **Garrain Jones**

"No puedes ver el cuadro si estás en el marco."

Les Brown

Has llegado hasta aquí, sigue adelante

Confía
en
el
proceso

Cambia tu mente
Cambia tu vida

Nada cambia
Si nada cambia

Nada cambia
Si nada cambia

CAPÍTULO 1

Confía en el proceso

"No puedes ver el cuadro si estás en el marco."

Les Brown

No puedes cambiar aquello de lo que no eres consciente. Cambiar tu vida es un proceso y mientras lo haces, no puedes ver el panorama completo. Aun así, es importante confiar en que los cambios que estás haciendo marcarán una diferencia.

El proceso comienza el momento en el que tomas una decisión. Es la semilla que forma parte de una imagen más amplia. La imagen más amplia es el marco. Cuando tú estás dentro del marco, no puedes ver el resto de la imagen. Sin embargo, cuando se capta la imagen y vuelves tu vista a ella, puedes ver claramente todo lo que está en segundo plano y cómo las partes encajan en un todo. Eso es exactamente lo que pasa a medida que vas madurando en tu vida.

Cuando escuchas, "confía en el proceso", siempre ayuda saber que no estás solo. Estamos siendo guiados de una manera o de otra. Te diré lo que mi mamá me solía decir, "Solo haz tu parte y Dios se ocupará del resto".

El proceso no es fácil. Sin embargo, serás recompensado por el precio que pagas si eliges aprender las lecciones. El proceso conlleva tanto; solo necesitas saber que está diseñado específicamente para moldearse a tu sueño, meta, declaración, oración o decisión.

¿Alguna vez has estudiado la metamorfosis de una mariposa? Si te tomas el tiempo de ver tu vida y todo lo que te ha hecho crecer, verás como es el mismo proceso.

Esta foto muestra el proceso por el que crecí a lo largo de mi vida. Desde bebé a adulto sin hogar, viviendo en mi unidad de almacenamiento, hasta leer *El Poder del*

Pensamiento Positivo, hasta sanar la relación con mi hija y ahora ser dueño de mi propia casa. Ahora mira como cada foto coincide con una etapa de la metamorfosis de la mariposa y verás los paralelos. Este debería poner las cosas en perspectiva cuando estás evaluando tu propia vida.

Llega un momento antes de que la oruga se vuelva mariposa cuando está en un lugar muy oscuro, un capullo. Allí y es donde crece y se transforma. En el capullo la mariposa no se reconoce a sí misma y no tiene idea de aquello en lo que está a punto de transformarse. Después de ese período de tiempo, ese insecto que una vez se arrastró por la tierra emerge de ese lugar oscuro ahora como un insecto que tiene alas. El proceso de transformación no cambia de mariposa a mariposa. Todas viven el mismo proceso, independientemente de dónde vivan, quiénes sean sus padres o de dónde vengan.

He tenido muchos ejemplos toda mi vida de tener una visión, tomar una decisión, trabajar por esa visión, tener paciencia, entregarme a cualquier proceso que la vida me lance y cuando menos lo espero, esa visión se hace realidad. Era exactamente lo que estaba buscando.

Aprendí que no se trataba de una visión específica. Se trataba del proceso y que el proceso específico me convierte en el tipo de persona que merece el resultado deseado. Yo creé la visión y la visión me creó a mí. Aquí les comparto unas experiencias:

Cuando tenía 14 años estaba en una correccional de menores y fui procesado como adulto porque tenía 62 cargos de delitos graves por saquear automóviles. Estuve allí seis meses y medio. Luego me iban a transferir a la TYC

(Texas Youth Commission), la prisión para adolescentes, y a los 15 años me iban a juzgar como adulto. No tenía idea cuándo iba a salir. Un día cuando estaba haciendo fila para el almuerzo, vi a un hombre alto en el mostrador al otro lado del pasillo. Me acuerdo exactamente cómo se veía. Era afroamericano, calvo y con lentes de armazón dorada, camisa blanca, pantalones caqui y zapatos café. Una vocecita me dijo, ve a hablar con él. No sabía lo que estaba pensando, pero le hice caso esa vocecita. Me salí de la línea, le toqué el codo y le pregunté,

"¿Cómo salgo de aquí?"

El hombre me dijo, "¿Te sabes el Padre nuestro?" Le respondí que no. Él dijo,

"Bueno, saldrás cuando te aprendas el Padre nuestro". Luego me dio una biblia anaranjada. Pensé que el tipo estaba loco y que no sabía de lo que estaba hablando.

No me sabía el Padre nuestro, ni me interesaba de ninguna manera abrir una biblia. Me aferré a esa biblia sin abrir por tres meses. Luego dos semanas antes de que me enviaran a la residencia para adolescentes, decidí abrir la biblia y leer el Padre nuestro.

Padre nuestro que
estás en los cielos
santificado sea tu nombre,
venga a nosotros tu reino
así en la tierra como en el cielo; danos hoy
nuestro pan de cada día
y perdona nuestras ofensas

así como también perdonamos a quienes nos
ofenden. No nos dejes caer en la tentación más
líbranos de todo mal.
Porque tuyo es el reino,
y el poder,
y la gloria, por los siglos
de los siglos. Amén

La leí una y otra y otra vez, hasta el punto en que ya la tenía enraizada en mi pensamiento.

Era algo más allá de mi memoria. Se convirtió en maestría. Realmente encarné el Padre nuestro.

Un día mientras decía la oración, las palabras resonaban por toda mi alma. Algo era diferente, yo me sentía diferente, como si fuera parte de mí.

Cuando terminé, en menos de dos minutos escuché un golpe en la puerta de mi celda y a un oficial gritar estas palabras:

"¡Jones! Hoy es tu día de suerte. Vas a salir".

Miré la pequeña biblia anaranjada y la oración del Padre nuestro, y solo pude decir, "¡Gracias!" Desde ese día nunca volví a ver esas palabras de la misma manera. Algo cambió dentro de mí ese día, y aunque no era consciente de eso, confié en el proceso.

Cuando tenía 15 años, tenía la **VISIÓN** de que un día ganaría cinco premios Grammy y caminaría sobre la alfombra roja con mi mamá, y la ayudaría a jubilarse el mismo día. Era una visión tan real y me aferré a ella. Siempre me **IMAGINÉ** que la visión ya había sucedido y eso amplificaba los sentimientos dentro de mí. Mi vida después de eso se tornó difícil y no podía explicar por qué. Llegué al punto en el que estaba en un lugar muy oscuro. Estaba sumamente endeudado, nada saludable, inseguro y empecé a dormir en mi carro por dos años y medio. Muchos empezaron a morir en mi familia, uno tras otro. Mi novia acababa de terminar conmigo, y arruiné la relación con mi hija. Se puede decir con seguridad que era irreconocible para el mundo e incluso ante mí mismo.

¿Te suena conocido?

Es como estar dentro del capullo donde ocurre la mayor parte del proceso de crecimiento. A lo largo de ese proceso, mantuve mi visión de ganar cinco premios Grammy, caminar sobre la alfombra roja con mi mamá y ayudarla a jubilarse el mismo día. En ese momento fue como si estuviera tratando de forzarlo todo y, por alguna razón, no lograba descubrir cómo tener éxito a lo grande en industria musical. Vi a muchos de mis artistas favoritos tras bambalinas, y podía darme cuenta de por dentro, ninguno era feliz en realidad, incluso con todos los premios y el dinero. Además, muchos de la industria me engañaron. Me acuerdo del día que dije,

"Esta no puede ser mi vida. Tiene que haber más. Sé que Dios me bendijo con mucho más que esto. ¿Qué tal si intento otra cosa? Me encanta ayudar a la gente".

Mi mamá, mi novia de ese entonces y mi amigo Kris me decían lo mismo,

"Te encanta ayudar a la gente. ¿Por qué no intentas algo con la salud y el bienestar?"

Creo que al fin entendí e hice lo impensable. Me rendí al proceso y dejé de tratar de forzar las cosas. Dejé la industria de la música y todos pensaban que me había vuelto loco. Al mismo tiempo, todos los días seguía pensando en la misma visión de ganar cinco premios Grammy, caminar sobre la alfombra roja con mi mamá y ayudarla a jubilarse. Tal vez pensarán que como dejé la industria musical, también abandoné esa visión, pero ese no fue el caso. Esa visión vivía dentro de mí.

Cinco años después estaba en una industria completamente diferente dirigida a transformar la vida de las personas a través de la salud y el bienestar, cuando recibí una llamada de la oficina corporativa diciéndome que calificaba para un premio que se celebraba anualmente en un evento de reconocimiento.

¿Pueden adivinar el lugar del evento?

Era exactamente el mismo donde se celebraban los premios Grammy. Gané cinco premios esa noche, caminé por la alfombra roja con mi mamá y logré que se jubilara de su trabajo esa misma noche, tal y como me imaginé. Me dio el mismo sentimiento que sentí cuando hablé de la visión por primera vez. Allí es cuando me di cuenta de que no solo se trataba de lo que estaba en la superficie. Se trataba más del sentimiento. Entendí en ese momento que el sentimiento era el secreto.

Ese proceso de 15 años era mi resistencia. Pensé que estaba tratando de destruirme cuando en realidad, me estaba poniendo a prueba en el proceso de crecimiento por medio de circunstancias, retos y experiencias de vida. Este proceso no se vuelve más fácil, simplemente nos hacemos más fuertes y esa fortaleza será una bendición que nos ayudará en nuestra trayectoria de vida.

El tiempo de Dios

La siguiente historia es sorprendente, así que presta mucha atención a la serie de eventos.

Iba a salir en un vuelo a Hong Kong y cinco minutos antes de abordar, escuché este anuncio por los altavoces:

"El vuelo a Hong Kong está cancelado. Regresen mañana a las 7:00 p. m."

Era muy extraño. Dijeron que era porque se había excedido el tiempo de servicio de los empleados. Regresé el día siguiente a las 7:00 p. m. y volvieron a cancelar el vuelo. Sentía como que estaba en la película *Hechizo del Tiempo* cuando repitieron exactamente la misma cosa por los altavoces.

"El vuelo a Hong Kong está cancelado." De repente, todos salieron corriendo al mostrador de atención al cliente, y yo me dije a mí mismo, *"De ninguna manera voy a esperar en línea mientras 200 personas furiosas tratan de cambiar sus vuelos"*.

Sabía que si tomaba otro vuelo al día siguiente me iba a perder la primera mitad del evento en el que estaba programado participar como conferencista. Bajé al siguiente piso para preguntar acerca de un nuevo vuelo, y la asistente de vuelo me dijo que todo estaba agotado. Estaba a punto de tirar la toalla porque no había nada más que pudiera hacer, pero le pregunté de nuevo,

"¿Está segura de que no hay más vuelos disponibles?" Ella me contestó,

"¡Espere un instante! Literalmente, tengo un vuelo más, pero es una aerolínea completamente diferente". Le dije que lo tomaría. Fui rápidamente a Korean Air y me dijeron que iba a hacer escala en Seúl, Corea del Sur para hacer transferencia a Hong Kong. Me repetía a mí mismo, *sé que Dios está tratando de decirme algo*. Además, el hecho de que me desviaran por Seúl era interesante porque había estado allí antes en el 2018, y el nombre Seúl me recuerda a mi alma y corazón (porque rima con la palabra del inglés *soul* que significa alma).

Mi novia Blair había salido desde otro estado mucho más temprano, y yo no tenía idea que vuelo había tomado. Mi asistente me dijo que por accidente le había reservado el vuelo a Hong Kong para un día diferente al que tenían previsto, y lo hicieron funcionar.

Quince horas después, llegué a Seúl y cuando iba hacia mi puerta de salida, vi hacia mi izquierda y en serio pensé que estaba imaginándome cosas porque Blair estaba sentada en un café. Volví a ver y lo primero que me dije a mí mismo fue "¡Pero por supuesto!" Grité el nombre de Blair y cuando levantó la cara, me vio como si estuviera imaginándose cosas. Corrió hacia mí y me preguntó,

"¿Qué estás haciendo aquí? Pensé que ya estabas en Hong Kong porque te fuiste mucho antes que yo". Le respondí, "Pensé que ya estabas en Hong Kong porque te fuiste mucho antes que yo".

Consideré que lo que había pasado era genial porque yo volé con Korean Air y ella con Delta, y en ese momento los dos nos dimos cuenta de que teníamos el mismo vuelo de conexión. Si ese no fue un momento escogido por Dios, no sé qué es. Sabía que Dios estaba tratando de decirme algo, pero no sabía que iba a conectarme con mi alma gemela en Seúl, Corea del Sur y que íbamos a viajar exactamente en el mismo vuelo, algo que no habíamos planeado originalmente.

La confianza en el proceso era tal que ocasionó la cancelación de dos vuelos, un cambio de reserva, la reserva accidental de una fecha, dos líneas aéreas diferentes y una reunión inesperada en una escala en otro país... y todo esto para terminar en el mismo vuelo con Blair.

Estoy seguro de que no te sorprenderá saber que Blair ahora es mi esposa. Yo sabía que ella era la mujer para mí desde la primera cita. Fue la primera vez en mi vida que cuando estaba con ella y la veía, podía ver mi futuro. Fue como si un portal se abriera. Esa fue la noche que le dije cómo me sentía. Confié en el proceso que estaba pasando dentro de mí. Mi intuición era tan fuerte y tenía fe de llegar hasta el final.

Para agregarle más jugo a la historia, cuando ella y yo nos estábamos conectando más y más, de casualidad encontré mi diario de hacía tres años. Allí tenía escritos los sesenta y dos atributos que quería en mi alma gemela. Para ser honesto, no creí que existiera esa persona, pero cuando leí el libro de Squire Rushnell "*When God Winks*" (Cuando Dios guiña el ojo), en el que hablaba de cómo atraer tu alma gemela, decidí escribir mi lista.

En la parte superior de la página escribí "Quien tenga estos sesenta y dos atributos será mi alma gemela. Nos vamos a casar y a tener dos hijos". También escribí cómo me gustaría sentirme en la relación, e hice una lista de los cinco lugares más importantes a los que no había ido, pero debía hacerlo antes de conocer a esta persona. Encerré en un círculo "seminario de desarrollo personal" y puse una estrella al lado.

Ahora tres años después, encontré mi diario y ya había conocido a Blair. Leí todos los atributos y para mi asombro, Blair tenía literalmente los sesenta y dos atributos. Me trató exactamente como lo había escrito y ¿adivina dónde nos conocimos? ¡Sí, en un seminario de desarrollo personal! Ahora ves por qué el viaje a Hong Kong era tan importante. Dos meses después de conocer a mi alma gemela, esto es lo que pasó.

A lo largo de todo proceso, he aprendido que lo que quiero, me quiere a mí. Sin embargo, debo estar disponible para recibirlo. Debo tener una visión o meta clara.

TEN FE, haz una elección poderosa de empezar donde estás y dirígete hacia tu objetivo.

TEN FE, confía en el proceso.

TEN FE, crece a través del proceso.

TEN FE, siéntete agradecido a lo largo del camino.

TEN FE, aprende las lecciones y transfórmate en el tipo de persona que puede físicamente sostener el espacio para esa visión.

DA GRATITUD, guarda la calma y fluye. Esto es lo que significa *confiar en el proceso.*

Ahora, piensa en tu vida. Tú estás actualmente en un proceso. Puede ser un proceso financiero, de encontrar tu alma gemela, de mudanza, de divorcio, de demanda judicial, de muerte en la familia, o de salud y bienestar.

El primer paso es simplemente estar consciente de que estás en un proceso. Si no tienes conciencia de algo, no lo puedes cambiar.

El segundo paso es ponerte claro sobre tu visión para tu vida. No puedes darle a un blanco que no tienes.

El tercer paso es tener bien claro *por qué* quieres exactamente lo que quieres. Cuando el *porqué* es más grande que el *qué*, el *cómo* no importa.

El cuarto paso es renunciar completamente a todo intento de forzar el resultado. Confía que todo está trabajando a tu favor.

EJERCICIO:

Saca una hoja de papel en blanco y escribe sobre tres ocasiones diferentes en tu vida cuando estabas en un proceso de crecimiento y eventualmente lograste el resultado que querías. Luego escribe todas las lecciones que aprendiste a través de ese proceso. Esta es una fórmula clara para cualquier oportunidad de crecimiento que se cruce en tu camino. La intención es entrenar tu mente para encontrar lo bueno en cada situación. Una mente que sabe que siempre sale el sol aún si hay tormenta, siempre estará conectada a la luz. Recuerda que debes **confiar en el proceso.** Tu fe yace en la confianza. El acceso a la cocreación yace en la fe, y cuando la cocreación está presente, lo milagroso se manifiesta en tu vida. Como mi mamá siempre dice,

"Haz tu parte y Dios se ocupará del resto".

Soy una oración viviente

| Garrain Jones

Llevo ocho años sin escribir una canción,
rima o cualquier cosa de ese tipo,
pero ahora tengo el corazón tan lleno que
se derramó sobre el papel.

Esta es mi historia de mi verdad que
debo compartir.
Es mi intención que tú te compares a
ti contigo mismo cuando te mires
fijamente en el espejo.
Aquellos que buscan ayuda, la encontrarán
justo aquí. Bendiciones sobre bendiciones
sobre bendiciones... ¡soy una
oración viviente!

Todo lo que tengo no me pertenece
las muestras de gratitud le pertenecen al trono
al altísimo en acuerdo con lo que las señales
han mostrado

Simplemente obedezco para que se
siembren las semillas porque nací antes
de que se tocaran las trompetas

Porque en sus ojos el mundo necesitaba
un Jones, pero Jones estaba perdido porque
el egoísmo lo había consumido

Me sentía tan invisible, como un cadáver
solo hasta que una noche clamé
al trono del creador

¡OK! ¡OK! ¡OK! Grité y gemí
Solo dame una señal. ¡No te quedaré mal!

Entregué mi vida a los cielos de lo desconocido
y escuché una voz que me dijo,
"Hijo, bienvenido a casa".

Han sido ocho años de tornar mis males
en bienes, las lecciones aprendidas
crearon nuevas canciones

Canto con mi corazón las lecciones para
afianzar el mensaje que necesitamos
para seguir adelante

Él me entregó el sonido del gong despertó
los mares y el impacto fue enérgico.

¡Estoy despierto! ¡Estoy despierto!
¡Estoy despierto! ¡Estás allí! ¡Estoy tan
agradecido de estar vivo! ¡Solo quiero claridad!

¡Tú estás en él, ella Y tú estás por todas partes!
¡A ti te doy mi acuerdo!

Impacto global compartiré
sin ti no soy nada, pero contigo
soy una oración viviente.

Gracias. Gracias. Gracias. Padre,
Hijo y Espíritu Santo.
Sé que están allí.

Esta es una foto de mi vieja unidad de almacenamiento donde solía vivir durante el día, y dormía sobre 3 pies de cachivaches.

Esta es tu vida y así comienza

Esta es tu vida en las historias. Todas tus historias limitantes girando a la vez; las creaste en tu mente a partir de sucesos del pasado que han afectado negativamente tu vida.

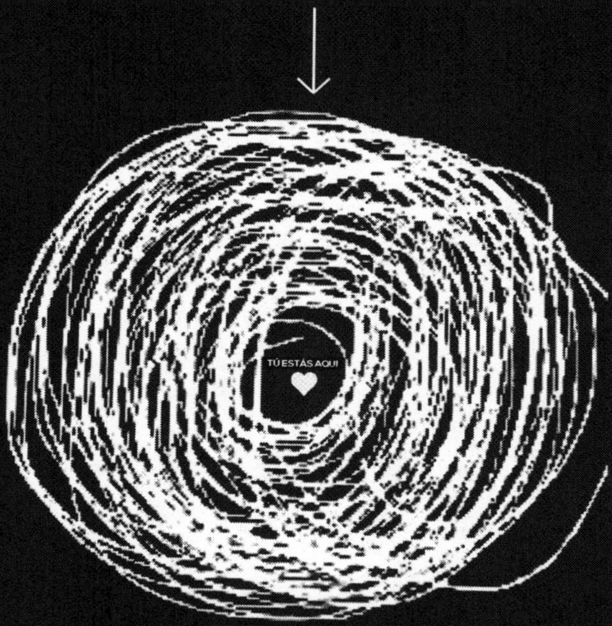

TÚ ESTÁS AQUÍ

Estas son historias limitantes

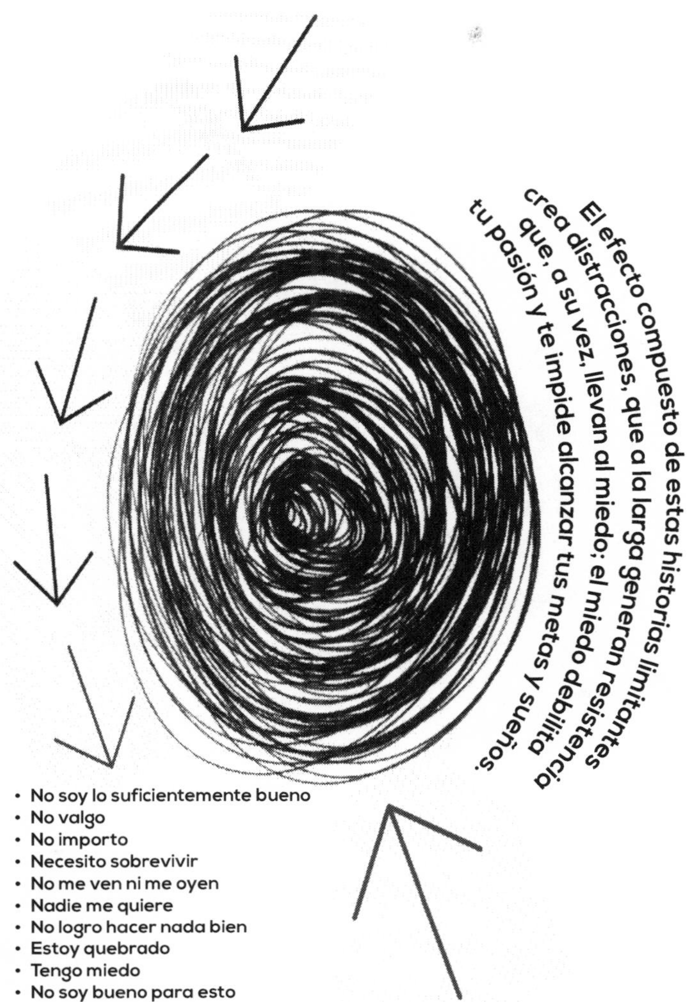

- No soy lo suficientemente bueno
- No valgo
- No importo
- Necesito sobrevivir
- No me ven ni me oyen
- Nadie me quiere
- No logro hacer nada bien
- Estoy quebrado
- Tengo miedo
- No soy bueno para esto
- No confío en la gente
- Siempre llego tarde
- Mis padres no me aman

Muro invisible de miedo

"Del otro lado de tus miedos está la puerta que te lleva a más."

La única salida es
atravesando los MIEDOS
TÚ ESTÁS AQUI
MIEDOS
Metas y Sueños

Debes saber que pasarás diferentes pruebas porque estas historias limitantes no desaparecen. No puedes cambiar lo que te pasó. Sin embargo, puedes cambiar cómo que respondes a lo que te pasa y en qué te enfocas.

CAPÍTULO 2

Las pruebas de la vida

No estamos pasando por la vida,
estamos creciendo a través de la vida.

Desde que era niño, siempre he creído que había oro al final del arcoíris. Aunque nunca había escuchado historias de éxito de que alguien encontrara ese oro, pero con los años me di cuenta de la razón. La razón por la que nunca supe de que muchas personas encontraran el oro era porque se dieron por vencido demasiado pronto. De niños nunca se nos enseñó lo difícil que iba a ser encontrar el oro porque iban a haber muchas pruebas en el camino antes de llegar. Ahora, puedo decir honestamente que descubrí el oro a medida que las pruebas de la vida me hacían madurar, y quiero compartir contigo todo lo que he aprendido para que tú también puedas descubrir el oro de tu vida.

Confía en el proceso

"Dios, ¿en quién necesitas que me convierta para cambiar mi vida?"

Esas son las palabras que grité cuando ya no podía más. Las mismas cosas seguían pasando en mi vida una y otra vez, y no podía descubrir el porqué. Lo que no sabía era que me estaban poniendo a prueba para ver si de verdad quería lo que quería. La prueba es una combinación de distracciones que se conoce como resistencia. La resistencia se transforma en miedo. Aunque las pruebas estaban tratando de quebrantarme, aprendí que siempre que pasaba una, se fortalecía mi fuerza de voluntad, lo que me daba más fortaleza mental para acercarme a mis metas y sueños.

Toda mi vida me enseñaron a dejar el pasado en el pasado, pero no se daban cuenta de que era algo que se seguía repitiendo. Mi futuro era literalmente una manifestación de mi pasado, que estaba tratando de enseñarme una lección.

En mis horas más oscuras, con frecuencia le preguntaba a Dios por qué me seguían pasando las mismas cosas en mi vida. No lograba descubrir la respuesta. No podía entender por qué seguía atrayendo el mismo tipo de chica, el mismo tipo de trabajos, ni por qué me seguían distrayendo las mismas malas decisiones que me mantenían quebrado, lleno de quejas y solo. Podía lograr éxito moderado y tomar impulso, pero no podía prolongarlo. Yo me resistía aprender de los altibajos y me seguía levantando, solo para caer derribado de nuevo.

Hay ciertas cosas por las que debes pasar para crecer, así como en la metamorfosis de la mariposa del Capítulo Uno, "Confía en el proceso".

Desde la escuela primaria nos entrenaron para los altibajos de la vida. Nos entrenaron para tomar riesgos. La vida nos ha ido enseñando esto todo el tiempo, pero sin conciencia no hay cambio.

Los niños normalmente dan su primer salto de fe en el kínder. Deben soltar la mano de su mamá y papá para entrar a un lugar nuevo con desconocidos. Recuerdo cuando llegué a la escuela el primer día de clases y solté la mano de mi mamá, e inmediatamente corrí de vuelta hacia ella. Fue el momento más aterrador de mi vida hasta ese momento. Pero cuando entré a la clase y uno de los niños dijo algo gracioso, vi que la escuela no era algo tan malo después de todo. Poco a poco, el deseo de volver a casa desapareció. Sobreviví mi primer salto de fe.

Cuando pasas por la escuela primaria, vas dando pasos y tomando riesgos. Debes crecer a medida que pasas de un nivel a otro. Cuando vas de grado en grado, tienes que tomar exámenes para determinar si entendiste las lecciones enseñadas.

Hay una estructura organizada para el avance de tu aprendizaje. Llegas al grado máximo de la primaria, quinto en Estados Unidos, y luego viene un bajón. En sexto grado estás en el nivel más bajo de la escuela media y tienes que trabajar para ascender hasta el octavo grado. El ciclo continúa y en noveno grado estás en el nivel más bajo de la escuela secundaria, y tienes que trabajar para ascender hasta el doceavo grado. Este es el sube y baja de la estructura escolar. A mediados del año, antes de las fiestas de navidad, tomas los exámenes del primer semestre. Al final del año, tomas un examen final y si no apruebas, debes repetir el año. Si apruebas, avanzas al siguiente.

Es justo como el videojuego Super Mario Bros. Si superas las pruebas y obstáculos en el camino, y derrotas al rey al final de la ronda, pasas al siguiente nivel, pero si no, lo tienes que repetir y enfrentarte a los mismos desafíos hasta que aprendes a pasar la prueba. Esto continúa en todos los niveles de grado de escuela y de videojuegos. Si observas una cordillera, también verás los picos y valles que suben y bajan. Cuando alguien toma su último aliento en el hospital, se ve una línea plana que significa muerte, en cuanto la línea salta, nota que sus altibajos significan vida. ¿Estás empezando a ver el patrón?

Es exactamente el mismo modelo que el camino de nuestra vida sigue. Los altibajos están diseñados de manera única para cada una de nuestras vidas. Estas son las pruebas que debes pasar para llegar al siguiente nivel. La mayoría de la gente no sabe esto porque cuando se gradúan de la secundaria o la universidad, piensan que las pruebas y el aprendizaje ya terminaron. De hecho, seguirás justo desde donde te quedaste en la escala de crecimiento.

Desafortunadamente para mí, hice trampa durante todo mi tiempo en la escuela y luego me preguntaba por qué la vida después de la graduación era tan difícil. Si estás pensando, *¿por qué me sigue pasando lo mismo?*

Es posible que hayas estado reprobando las mismas pruebas toda tu vida. Esas pruebas pueden ser relaciones fracasadas, quedarte en trabajos que no querías, tomar malas decisiones a causa de tus inseguridades, abandonar tus sueños, limitar tu creatividad o ideas, caer en malos hábitos como drogas, alcohol, resentimiento, culpar a otros o ser la víctima toda tu vida.

Siento que Dios tiene una manera extraña y oportuna de hacernos saber que tenemos lecciones por aprender, nos guste o no. Si quieres cosas grandes en tu vida, querrás pruebas GRANDES, pero recuerda, Dios las diseña de ese modo porque te conoce mejor que nadie, y a menudo la única manera de que prestes atención es si la prueba está conectada a tu corazón.

Por ejemplo, de repente tu novia termina contigo, tu papá rechaza al chico del que te enamoraste o no te dieron el aumento que querías, y una persona menos calificada lo recibe. ¿Ves? Si no hubiera conexión a tu corazón, no te importaría. Por eso a menudo duele tanto estar a prueba. También es importante saber que la prueba conlleva resistencia, y que será del tamaño de tu sueño. Entre más grande el sueño, mayor la resistencia y más grande será la prueba. Así que nada te está pasando *a* ti; lo que está pasando es *por* ti.

He oído mucha gente decir, "Siento que me pasa lo mismo todos los años en la misma época". Esa es la prueba de la vida. Si te sigue pasando la misma cosa, es porque sigues reprobando las mismas pruebas, y tu escuela es el área de tu vida en la que estás estancado. No importa las circunstancias en las que naciste —riqueza, pobreza, educación privada, las calles, ambientes positivos, influencias negativas— tendrás que aprender a navegar el terreno, aprender de tus errores y fracasos, y a levantarte de tus caídas.

Siempre habrás pruebas y lecciones que deberás aprender en la vida. Aprobarás unas y reprobarás otras. La pregunta es, ¿te presentas a clase de forma constante como estudiante dispuesto, o faltas a la escuela pensando que tú sabes más e ignoras la guía de los que estuvieron allí antes que tú, y sigues repitiendo los mismos patrones que te tienen atascado?

Eventualmente tendrás que tomar la prueba, la prueba del orgullo, la prueba del ego, la prueba del crecimiento. Todos tienen que hacer su tarea para pasar la prueba de la vida. Recuerda que debes confiar en el proceso y saber que no tienes que hacerlo solo. Si aprendes a prestar atención, verás que siempre habrá alguien en tu vida que pueda darte una mano cuando tú mismo no puedas darte una. Cuando el estudiante está listo, el maestro aparece. Es justo como en el videojuego Zelda donde aparece un búho mágico para ayudarnos a atravesar el camino por recorrer. En la vida, ese búho se manifiesta en tu camino como un maestro, vecino, entrenador de básquetbol o hasta un hombre que vive en la calle. La pregunta es, ¿has estado dispuesto a escuchar? Confía en el proceso. Está tratando de decirte algo y ayudarte a entender una lección para que puedas seguir adelante. No solo requiere preparación, sino también conciencia y fe. **No tienes que prepararte si vives preparado.**

EJERCICIO:

Escribe las tres pruebas más grandes de tu vida que sientes tienen poder sobre ti. Solo debes saber que todo lo que tiene poder sobre ti se convierte en tu dios. Se convierte en el creador de tu vida. Puede ser cualquiera de estas cosas: mujeres, hombres, dinero, alcohol, drogas, comidas grasosas, chisme, televisión, tu relación, el trabajo del que siempre te quejas. Ahora es tu oportunidad de hacer algo diferente. Cambia tu mente, cambia tu vida. Es lo que hacemos respecto a la situación y cómo la vemos desde una perspectiva diferente lo que crea el resultado.

Cuando descubres la lección, recibe tus pruebas con gratitud y repite estas palabras en voz muchas alta:

> Gracias por ser tan buen maestro. Gracias por hacerme mejor. Gracias por hacerme más fuerte. Gracias por hacerme más sabio.
>
> Te sorprenderá cuánta fortaleza encontrarás al encarnar esas palabras. Lo que nos pasa a nosotros, nos pasa a todos mentalmente. No sabemos lo que no sabemos, así que es importante buscar maestros, lugares de culto, coaches, mentores, seminarios de transformación, comunidades y libros positivos para desarrollar una relación con Dios y estar más cerca de él, lo que te ayudará a centrarte y a restaurar tu poder. Esto hará una diferencia y te guiará por las pruebas el resto de tu vida.

¿Qué direcciones tienes en tu sistema gps mental?

"Todo pensamiento, sea positivo o negativo, al que le des más poder y en el que pongas más energía se manifestará en tu vida como el equivalente físico."

Posibles direcciones
en tu sistema gps mental

Chisme
Relaciones tóxicas
Negatividad
Orgullo
Transformación
Estilo de vida saludable
Miedo
Compararse
Celos
Ego
Competencia
Tratar de recordar una mentira
Estrés
Impacto global
Pensamiento positivo
Metas
Hábitos poco saludables
Liderazgo
Preguntarse "¿qué tengo de malo?"
Servicio abnegado
Alegría
Cuestionarte tu grandeza
Amor
Odio
Atraer a tu alma gemela
Soy feo/a
No le gusto a nadie
Drogas
Alcohol

"Tengo 99 bendiciones y la negatividad no es una de ellas"

"La energía
va hacia donde
la energía fluye"

¿Tienes una AMP?

Actitud Mental Positiva

Esa persona perfecta nunca llegará a tu vida hasta que te des cuenta de que la persona perfecta eres tú.

Como te tratas a ti mismo es un reflejo directo de las cosas y las personas que atraes en tu vida.

Una actitud mental positiva y el amor propio son indispensables

Tu alma gemela te está esperando

"Lo externo es la manifestación física de lo que está pasando en el cerebro."

CAPÍTULO 3

El poder del pensamiento positivo

Lo externo es la manifestación física de lo que está pasando en el cerebro.

Yo crecí en un ambiente muy negativo. Así que cada vez que veía a alguien hablar de forma positiva, era como que un extraterrestre me estuviera hablando y pensaba que era una persona falsa. A pesar de que sí me pasaron cosas positivas cuando era más joven, me acuerdo que me enfocaba más en todo lo que tenía que ver con negatividad. No sabía que existiera otra manera de ser. Muy dentro de mí sabía que la vida ofrecía mucho más, pero mi mentalidad negativa me cegaba completamente a las posibilidades más allá del lente negativo con el que veía la vida diaria.

Cuando tenía 18 años, mi amiga Shannon Davidson me regaló un libro para mi cumpleaños. Se llamaba *El Poder del Pensamiento Positivo* de Norman Vincent Peale. Para ser honesto, me pareció el regalo más estúpido, sobre todo porque odiaba leer, y ni hablar de que en la secundaria tenía un impedimento del habla y estaba en una clase de necesidades especiales. Ya pensaba que era estúpido porque aprendía más lento que el 95 por ciento de los estudiantes de mi grado. ¿Por qué alguien me regalaría un libro?

Estuvo en mi librero por meses. Un día la frustración de siempre retraerme cuando oía hablar a la gente con palabras difíciles y mucha pasión hizo que sacara el libro sin saber de qué se trataba. Empecé a leer y enunciar exageradamente las palabras, y no sabía cuál iba a ser el resultado. Con la boca bien abierta y haciendo el sonido de cada vocal leí todo el libro en voz alta.

Me tomó una semana bien concentrada leer el libro, y cuando terminé y volví a hablar de forma normal, me di cuenta de que había pasado algo milagroso. Tenía un vocabulario más amplio y mi impedimento del habla había desaparecido como por arte de magia. Además, estaban pasando cosas positivas en mi vida. No tenía idea que se debía a que había leído el libro y a que estaba aplicando inconscientemente los principios bíblicos con una actitud mental positiva. Pensaba que era pura suerte. No era consciente de lo que estaba atrayendo a mi vida por mi nuevo condicionamiento mental.

Estas son algunas de las cosas que me pasaron con mi nueva perspectiva positiva de la vida. Firmé un contrato con Wilhelmina Models, una de las agencias de modelos más destacada de Los Ángeles. Beyoncé me eligió ella misma de una foto para ser su interés romántico en el video "*Jumpin' Jumpin*'" de *Destiny's Child*. Me contrataron para un comercial mundial de L'Oréal Hair que me pagaba una suma de seis cifras, y casi ni tenía pelo.

Tenía muy poco dinero y estaban a punto de desalojarme de mi apartamento. Mientras caminaba por la calle, casualmente me paré sobre un montón de dinero que era exactamente la cantidad que necesitaba para pagar el alquiler. Publiqué en las redes sociales que me veía conociendo a uno de mis atletas favoritos, Conor McGregor, y que otras tres personas más iban a estar allí. Literalmente dieciocho días después conocí a Conor McGregor, y las tres personas cerca de nosotros eran tal como las había visualizado. Era como si pensara en algo y luego se manifestaba de forma física. No sabía qué pensar de eso, pero claramente algo fuera de lo normal estaba ocurriendo. Yo decía que era como "flotar en espiral", algo que me hacía pensar en lo que pasa cuando sacudes un domo de nieve y ves como los copos flotan lentamente hacia el fondo. En este caso, estaba atrayendo milagros al azar a mi vida.

Cuando terminé de leer el libro, sentía fluir mucho ímpetu a través de mí. Me estaban pasando tantas cosas maravillosas en mi vida, y no tenía idea a qué se debía. No me daba cuenta del efecto que tenía sobre mi manera de pensar a lo que exponía mi mente. Dejé de leer porque creía que solo tenía que leer o escuchar las cosas una vez, y que eso era suficiente para toda la vida. Caray, estaba tan equivocado. La gente me empezó a elogiar diciéndome que yo era lo máximo y allí empecé a caer en cuenta. Me decía a mí mismo, "Soy lo máximo. Conozco a tantos que quieren ser como yo".

Sí, ya tú sabes.

Había empezado a asomarse el ego, y así de rápido como comencé a atraer todas esas cosas maravillosas a mi vida, así de rápido comencé a perderlas cuando mi actitud volvió a ser negativa. Había comenzado a perderlo todo porque no era consciente. No tenía idea de que tenía completo control de lo que estaba pasando.

Hasta que reflexioné sobre mi vida de ese entonces, veintiún años después, conecté los puntitos. Cada vez que tenía una actitud mental positiva a todo y la afianzaba con acciones, ocurrían las cosas más increíbles. Pero cada vez que tenía una actitud mental negativa, lo perdía todo, como si no mereciera abundancia en mi vida.

Estaba una vez en un seminario de bienestar, y escuché a un líder poderoso decir que siempre debes hacer todo lo posible para mantener una actitud mental positiva porque al momento que dejas de hacerlo, regresará tu vieja vida de negatividad. Yo supe sin lugar a duda lo que tenía que hacer a partir de ese momento. Necesitaba seguir alimentando mi mente continuamente con todo lo que sirviera en el propósito de avanzar hacia una meta que yo quisiera en mi vida, manteniendo al mismo tiempo una actitud mental positiva.

Nuestra mente es como un jardín y los pensamientos son las semillas que plantamos en nuestro jardín. Lo que sea que plantemos ciertamente va a crecer, ya sea que se trate de semillas de positividad, semillas de negatividad, semillas de duda, semillas de gratitud o semillas de sentir que no vales. Los pensamientos a los que les damos más poder, actúan como agua sobre el terreno de nuestra mente. ¡Debemos cuidar el jardín y el instante en el que dejamos el jardín, vuelven a aparecer las malezas... el EGO! Las malezas de tu mente, tu pasado, pueden regresar a apropiarse de todo.

Aplicar pensamientos positivos a todo lo que haces, en toda circunstancia y en todo reto creará una vertiente rebosante con el tiempo, que es precisamente lo que se manifestó como evidencia física en mi vida, y no pasó de la noche a la mañana.

Aun cuando estaba viviendo en mi coche, crear comunidades positivas para ver sonreír a los demás y hacer amigos me hacía sentir muy bien. Yo tenía un grupo de ejercicio llamado GUMBO (sigla del inglés que significa "Operación levántate y mueve el trasero") en el que yo entrenaba y motivaba a la gente gratis en el parque natural Runyon Canyon en Los Ángeles, California. Lo hacía todos los sábados y llegué a tener hasta 95 personas en una clase. Mientras dormía en mi unidad de almacenamiento, hice lo mejor que pude con la situación y creé una serie de desarrollo personal en YouTube llamada "*The Storage*" (el almacenaje). Nadie tenía idea lo mal que estaba mi vida mientras creaba contenido en las redes sociales constantemente y hacía mi mejor esfuerzo para inspirar a quienes lo necesitaban en sus vidas. Nunca me quejaba. Yo solía decir, "¡Siempre puede ser peor! Otros han pasado por cosas peores, lo superaron e hicieron algo con sus vidas, ¿por qué yo no?" Yo decía eso todos los días y mantenía una perspectiva positiva aunque no hubiera prueba física. No se trataba de lo que estaba haciendo, era más bien del espíritu desde el que operaba.

Hoy me gano la vida con ingresos increíbles haciendo algo que haría gratis, que es exactamente lo que hacía mientras vivía en mi coche. Era como si Dios estuviera comprobando que tomaba en serio lo que quería. A pesar de mis circunstancias, mantuve una actitud mental positiva a lo largo del proceso y seguí trayéndole alegría a la gente de la alegría que primero fluía por mí.

Reflexiona sobre tu vida en este mismo momento, tu vida de amor, tu vida de dinero, tu vida de familia, tu vida de trabajo, tu vida de creatividad y tu vida de abundancia. Si no está fluyendo, es muy probable que no esté recibiendo los aspectos más positivos de tu actitud mental. Recuerda, lo externo es la manifestación física de lo que está pasando en el cerebro. Es fácil: ¿Estás siendo positivo o negativo en una de esas áreas que puede estar funcionando o no?

Te mostraré exactamente lo que está pasando en tu vida para que puedas ver de forma física lo que está pasando en tiempo real. Busca un vaso de vidrio claro y ve al fregadero. Llena el vaso de agua hasta el tope. El agua está a punto de rebalsarse, y si le agregas un poquito más al vaso, ¿qué empezará a pasar? El agua empezará a derramarse. Ahora, imaginemos que tú eres el vaso. Si tus pensamientos son mayormente negativos, eso es lo que le echas al vaso. Los pensamientos a los que les das más poder son lo que se está desbordando en forma de evidencia física en tu vida. La vida negativa es experimentar cómo se derrama todo lo que te inundaba por dentro.

Ahora, imagínate todo eso siendo positividad. La evidencia física en tu vida tiene que concordar. La salud de las raíces es lo que determina el crecimiento del árbol y el fruto que produce. Ahora que puedes ver claramente lo que estás creando en tu vida gracias a tus pensamientos, ¿cómo elegirás pensar a partir de este momento? ¿Positiva o negativamente? Lo que sea que elijas, recibe la bienvenida a la creación de tu vida. La energía va hacia donde fluye la energía.

Imagínate que escuchas la misma canción una y otra y otra y otra vez. El próximo mes estarás cantando y tarareando la canción porque no te la puedes sacar de la cabeza. Lo mismo se aplica a tus pensamientos. Si te sigues llevando con gente negativa, viendo programas de televisión negativos, contando chismes y hablándote a ti mismo de modo negativo, o contribuyes a la negatividad de cualquier manera, serás culpable por asociación. Se convertirá en la canción de tu vida que te repetirás una y otra vez. ¿Qué pasará? Tu vida se convertirá en una manifestación física de esa negatividad. ¿Así es como quieres vivir tu vida?

Haz algo al respecto mientras puedes. Dirige todos tus pensamientos y acciones hacia lo que contribuya a tus sueños y metas. Aquí no hay correcto ni incorrecto, solo nuevos niveles de conciencia. Deja que esta experiencia sea la que despierte y cambie el curso de tu vida, así como la de todos a tu alrededor que se beneficiarán de tu brillante ejemplo. Amigos, sean positivos y manténganse positivos.

EJERCICIO:

Por toda una semana, busca lo positivo en todo y nada. Si otro conductor te corta el paso, encuentra una cosa positiva en eso. Si tu jefe te grita sin razón, encuentra la semilla de positividad en eso. Si empiezan a sonar truenos y tenías planeado un gran pic nic con tu familia, encuentra lo positivo en eso.

Entre más fluye un enfoque positivo interno a tu perspectiva externa de la vida, el péndulo de tu vida se moverá más a lo positivo.

¿POR QUÉ ES TAN IMPORTANTE ESTAR SALUDABLE?

Tu salud afecta tu corazón

Lo que le haces a tu corazón afecta cómo te sientes

Cómo te sientes afecta cómo piensas

Cómo piensas afecta cómo hablas

Cómo hablas afecta tus acciones

Tus acciones afectan el resultado de tu vida

80% nutrición

20% condición física

100% mente

E.V.S.
ESTILO DE VIDA SALUDABLE

Dile SÍ al E.V.S.

"Los 40 son los nuevos 20 si eres saludable"

CAPÍTULO 4

Frankenstein cobra vida

No ocuparte de tu salud es estar muerto mientras vives.

Cuando era chico, "cómo tener una buena salud" nunca fue un tema de conversación en casa. Por lo tanto, no había modo de que mi familia entendiera el concepto de "mantenerse sano" y mucho menos practicarlo.

Nuestra dieta no tenía nada de saludable. Crecimos con comida al estilo sureño, grasosa, frita y nada saludable. Aunque eran el tipo de platillos que les encantan a las arterias obstruidas, ¡qué sabor el que tenían! Sin embargo, no sabíamos que no era bueno para nosotros. Solo nos comíamos lo que nos daban y eso era todo.

Seguí comiendo de la misma manera hasta llegar a mis 30, que es cuando pasó lo impensable. Estaba subiendo de peso y ya no me quedaba la ropa. Mi cintura pasó de talla 31 a 36 y mi peso de 150 a 200 libras. Eso pasó en tres años, y estaba tan avergonzado de mí mismo que ni siquiera podía ver la báscula y dejé de verme en el espejo. Tenía la piel súper seca y mis alergias estaban fuera de control. No podía parar el ciclo. Me di por vencido y me dejé ir.

Frankenstein estaba muerto

Se lo atribuí a mi edad. Decía cosas como:

"Bueno, supongo que es lo que pasa cuando llegas a los 30, de qué sirve intentar hacer algo".

Me volví sumamente inseguro sobre mi apariencia, y me sentía aún peor por dentro. Siempre estaba cansado y no tenía energía. Andaba tan lento todo el día, como un zombi. Esto me hizo caer en una depresión profunda. Por la vergüenza que sentía, hasta publicaba menos en las redes sociales. Siempre trataba de encontrar la luz, el ángulo o el filtro para la foto que daría una falsa representación de cómo me veía para poder publicarla.

Mi modo de sentir me llenó de enojo y resentimiento. Yo daba mala energía porque era cómo yo me estaba tratando a mí mismo, e intentaba ocultarlo al avergonzar a otras personas para hacerme sentir mejor. Efectivamente, el tóxico era yo. Un día me desperté y ya no sabía quién era. No me veía, ni actuaba igual. No vivía, solo existía. Es difícil de creer que no ser sano pueda causar tanto daño en tu vida.

En noviembre de 2011, Brian, un tipo que parecía superhéroe, me tomó bajo su tutela y me introdujo a su comunidad de salud y bienestar. Me cambió completamente la vida. Nunca había visto tanta gente positiva, en forma, enfocada en sus metas en un solo lugar de una vez. Por mucho que quisiera negarlo, en lo más profundo de mi alma, sabía que eso era para mí. A medida que seguía rodeándome de esa comunidad de salud y bienestar, las cosas empezaron a cambiar para mí. Todos daban tanto ánimo y apoyo, y me vi a mí mismo haciendo todo lo que ellos hacían porque se veían tan felices.

Aprendí tanto de esta comunidad que siento que fue la razón por la que mi mentalidad empezó a cambiar y estaba más abierto a las posibilidades.

Frankenstein comenzó a temblar y a sacudirse

Estaba volviendo a la vida. Algo que me llamó mucho la atención era que todos siempre se mostraban aprecio y reconocimiento entre ellos. Todos querían que todos tuvieran éxito en la vida, y apoyaban mucho sus metas y sueños. Todo eso era nuevo para mí. Me gustaba y quería más, así que seguí regresando. Me introdujeron al desarrollo personal diario, escribir mis sueños y metas, afirmaciones y meditación diarias, y eso me inspiró a empezar a orar todos los días. Día tras día sentía como literalmente mi cerebro se calmaba y se hacía más pacífico.

Un día cuando buscaba en internet cosas relacionadas al desarrollo personal, escuché decir a Jim Rohn, "Como haces una cosa, lo haces todo".

Esa línea me cayó como un balde agua fría. Vi todas las áreas de mi vida, y me di cuenta de que tenía que cambiarlas y para siempre. Ese fue el momento clave en el que decidí que iba a tomar mi salud en serio. Quería vivir un estilo de vida saludable y estaba dispuesto a hacer todo lo que fuera necesario. Me tiré de lleno y aunque fue difícil, el solo hecho de estar rodeado de personas que pensaban igual y que estaban haciendo lo mismo me ayudó muchísimo. Aprendí que la salud es 80 % nutrición, 20 % condición física y 100 % mentalidad. Había estado haciendo mal las cosas —yo era 100 % excusas, 15 % condición física, 0 % nutrición, 40 % quejas, con un dos por ciento de acción como valor agregado. No es de extrañar que me sintiera como Frankenstein. Mis acciones no representaban a alguien que se diera a sí mismo la mejor oportunidad de verdaderamente vivir.

Tomé acción de inmediato y comencé un programa de nutrición personal con el que tomaba suplementos, comía comidas sanas y balanceadas, tomaba bastante agua y hacía ejercicio de tres a cuatro veces por semana.

Frankenstein cobró vida

Esto del 80 % de nutrición era algo nuevo para mí, y rápidamente vi y sentí una diferencia masiva. Se disparó al cielo mi nivel de energía. Naturalmente quería hacer más porque me dormía durante el día todos los días. Sentí como si mi alma se estaba reinicializando, y luego mi cuerpo hizo lo mismo. ¡Frankenstein volvió a la vida! ¡Ahhhhhhhh, recuperé mi ritmo! Regresé al gimnasio con la emoción de un niño que abre sus regalos en Navidad.

Cuando le das a tu cuerpo el combustible que necesita, tiene la capacidad de funcionar como debe. En tres meses y medio bajé 39 libras y reduje mi índice de grasa corporal de 16.4 % a seis por ciento. Luego decidí agregar 19 libras de músculo. Me sentía como superhéroe. Estaba lleno de energía y buena vibra. Era un nuevo yo. En realidad, era mi yo verdadero.

Me daban cumplidos por todos lados, incluso de personas a las que no les caía bien hasta hace unos meses.

¿Qué carajos estaba pasando?

¿En quién me estaba convirtiendo?

Todo estaba pasando tan rápido. Gracias a Dios, tenía un grupo de apoyo de personas afines que estuvieron allí en cada paso del proceso. Una comunidad positiva y la responsabilidad hacen todo más fácil. ¿Quién hubiera pensado que el trabajar para convertirme en la mejor versión de mí mismo comenzaría el proceso que me abriría al cambio transformacional que busca la mayor parte de la gente en el planeta?

Como el día se hace noche, mi mundo se fue de cabeza y al revés. Todo estaba cambiando, incluso mis amigos. Las palabras de Gandhi empezaron a tener sentido:

"Sé el cambio que quieres ver en el mundo".

Mi mundo externo empezaba a concordar con mi mundo interno.

Esta era ahora mi comunidad. Yo era un reflejo de mi ambiente y mi ambiente era un reflejo de mí. Lo que antes causaba duda, ahora era causa de admiración, ya que mucha gente me decía abiertamente que querían lo que yo tenía: Energía, estar en forma, una comunidad positiva, alegría, confianza en mí mismo y amor propio. Cuando tienes algo tan bueno, solo un tacaño trataría de guardárselo todo para él mismo. Elegí poderosamente compartir el regalo de la salud y el bienestar por todo el mundo, lo que repercutió directa e indirectamente en la vida millones de personas. A lo largo de esta trayectoria, no he podido dejar de repetir el enorme gozo que le trae a mi corazón saber de todo el cambio transformacional que ha ocurrido en las vidas de amigos, familia, desconocidos y hasta viejos rivales. Los enemigos también necesitan salud y bienestar en sus vidas.

La transformación más poderosa y que más me enorgullece es la de mi mamá, Sherian Jones, mejor conocida como *Momma Jones*. En el 2011 tenía muy mala salud y estaba a punto de perder su vida. Tomaba más de diez medicamentos, tenía un gran sobrepeso, le habían hecho varias cirugías y llevaba una bolsa de colostomía. Estaba tan enojado porque pensaba que no podía hacer nada al respecto.

Quiero que hagas una pausa en este momento y pienses en tu mamá, tu papá o alguien muy cercano a ti que no tiene buena salud y lo importantes que él o ella es para tu corazón. De veras tómate el tiempo de leer lo que acabo de compartir sobre mi mamá. Qué ideas se te ocurrirían al saber que no puedes hacer nada para ayudar a esa persona especial de tu familia. Bueno, me cansé de ver a mi mamá así, por lo que hice el compromiso de vivir una vida activa y saludable, no solo por mí, sino también por mi familia.

A lo largo de este proceso aprendí que las personas no hacen lo que dices, hacen lo que ven. Mi mamá me vio transformar mi vida, y ella quería lo mismo. La introduje a un estilo de vida de salud y bienestar, ella lo adoptó y comenzó a recuperar su vida. Fue constante porque yo fui un ejemplo de constancia, y su vida era un factor de motivación importante. Es increíble lo que pasa con nuestras decisiones cuando tienes la muerte cerca. Siete años después, mi mamá perdió 70 libras que nunca recuperó, ya no tiene la bolsa de colostomía, ya no ha tenido más cirugías y ya no toma medicamentos. A sus 64 años es más feliz que nunca.

Ahora hace escalada de roca, aquaeróbic, *zip line* y decidió seguir sus sueños de convertirse en diseñadora de modas, e incluso lanzó una línea de gafas. Imagínate la cantidad de personas a las que puedes ayudar a transformar sus vidas al promover la buena salud.

Somos seres empáticos por naturaleza y nuestro corazón está en el centro de todo. Solo podemos llegar hasta cierto nivel de felicidad si no somos saludables. Sigue esta fórmula y verás cómo todo está conectado.

Tu salud afecta tu corazón.

Lo que le haces a tu corazón afecta como te sientes.

Como te sientes afecta como piensas.

Como piensas afecta como hablas.

Como hablas afecta tus acciones, y tus acciones afectan el resultado de tu vida.

Recicla, enjuaga, repite y comparte este conocimiento con tantas personas como puedas. Hoy, tengo 40 años de juventud y estoy en la mejor forma de mi vida. Me siento eléctrico, vibrante, de espíritu alegre y como que tengo otra vez 20 años. De veras creo que los cuarenta son los nuevos veinte, si eres saludable.

Ahora ves cómo entre mejor te sientes, mejor será tu vida. Imagínate que te despiertas mañana sintiéndote mejor que nunca. Imagínate que no te estás durmiendo durante el día todos los días. Imagínate que tienes tanta energía que verdaderamente te sientes lleno de vitalidad y entusiasmo. Imagínate que te ves y te sientes como realmente te quieres ver y sentir. Imagínate que no tienes sobrecompensar en otras áreas de tu vida para distraerte del hecho de que tu salud no es una prioridad.

Imagínate que usas la ropa que de verdad quieres usar.

Imagínate que te sientes con tanta confianza y seguridad en ti mismo que no tienes que tomarte las fotos desde cierto ángulo con luces y filtros especiales porque te ves bien desde todo ángulo y bajo todo tipo de luz.

Imagínate que tu familia y amigos se sienten tan inspirados por tu cambio personal que quieren unirse a ti porque es algo que siempre han querido hacer, solo necesitaban el ejemplo. Imagínate que tú eres ese ejemplo.

Si estás jugando el juego de la imaginación y te das permiso de imaginarte todas esas cosas, deberías experimentar una sensación diferente en el cuerpo en este momento. Esa sensación es la posibilidad en marcha. Es lo que es posible en tu vida cada día. Tu salud es algo que debes tomar muy en serio. No esperes hasta que sea demasiado tarde, como la mayoría de las personas. No somos automóviles, cuando se les muere la transmisión porque no se le dio mantenimiento al motor, la podemos reemplazar por una nueva. Cuando morimos por problemas de salud que podían prevenirse, no tenemos una segunda oportunidad.

Ser sano y cuidar tu templo, mente, cuerpo y espíritu, puede abrir verdaderamente tus ojos y corazón a lo que quiere decir amarte a ti mismo. No puedes darte lo que no tienes y si das tanto a todos y a todo, pero te olvidas de ti mismo en el proceso, estás dando el cien por ciento del dos por ciento que te das a ti. Bien podrías andar caminando con una pala todo el día, cavando tu tumba antes de tiempo. No estoy exagerando. No puedo recalcarles suficiente lo importante que es este tema. La salud es riqueza y puedes ofrecerle mucho más al resto del mundo cuando estás en TU mejor momento para TI. Quieres que las personas se beneficien del manantial desbordante de amor que te has dado primero a ti mismo.

EJERCICIO:

1. Saca una hoja de papel en blanco y escribe tus metas de condición física o de pérdida de peso. O tal vez simplemente quieres sentirte mejor sobre tu persona y tener un montón de energía. Escríbelo todo y luego escribe la fecha específica en la que tomarás acción para lograrlo.
2. A continuación, escribe una lista de 10 personas, como mínimo, que quieres que estén contigo en esta jornada, pídeles que se unan a ti y te sostengan en responsabilidad.
3. Encuentra una comunidad de personas enfocadas en sus metas que vivan un estilo de vida sano y activo, rodéate de ellos continuamente. Puedes encontrar esas comunidades en línea o en persona.
4. Haz el compromiso de encontrar un coach de bienestar o a alguien que te pueda apoyar con tu nutrición. Recuerda, la comida es combustible y es 80 % nutrición, 20 % condición física y 100 % mentalidad.

5. Te invito a que visites mi sitio web, GarrainJones.com, y descargues mi guía gratuita, *20 Ways to Jumpstart a Healthy Active Lifestyle* (20 maneras de iniciar un estilo de vida saludable). Debería ser suficiente para que arranques.

¿Qué sucedería si todo lo que buscabas ha estado dentro de ti todo el tiempo?

"Anhelar más de lo que buscamos reside en la plenitud de nuestros corazones"

"El amor comienza en casa, y no es lo mucho que hacemos... es cuánto amor ponemos en esa acción."

Madre Teresa

"Lo que sale del corazón vuelve al corazón"

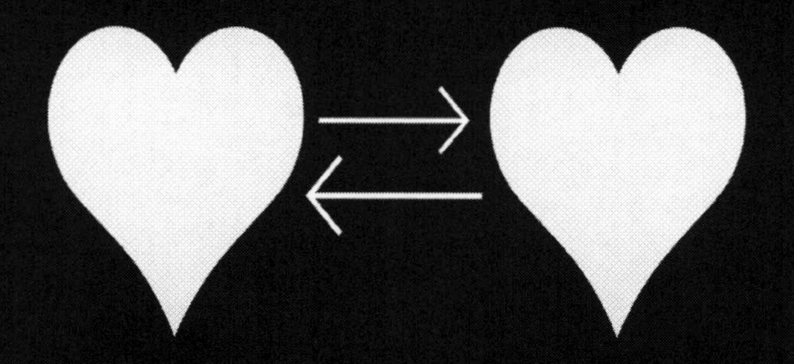

"Honrar lo que tienes en el corazón es alimentar a tu niño interior que se conecta al cordón umbilical espiritual que va hacia el cielo."

CAPÍTULO 5

Haz lo que amas

Honrar lo que está en tu corazón es alimentar a tu niño interior, quien te conecta al cordón umbilical espiritual que va hacia el cielo.

La prueba de la vida comenzó desde que era muy niño. Me encantaban los pandas, las calcetas de colores, cantar, bailar, correr, los licuados de mi mamá, el pastel de camote de mi *Big Momma*, los corbatines, la moda, andar en patines, los colores primarios, coleccionar tarjetas de básquetbol y fútbol americano, barras blanditas de Twizzlers de fresa, Gatorade de naranja al tiempo, actuar como superhéroe, jugar "ese es mi coche" y "esa es mi casa" con mi hermano y mis primos, los recreos, las reuniones familiares, los amaneceres, los atardeceres, la lluvia, la aguanieve, la nieve, el sonido del viento y sacar el premio de la comida feliz de McDonald's. La lista puede seguir y seguir, pero creo que adivinas que me encantaba todo.

No es sorprender que siempre estaba feliz y repleto de lo que parecía cantidades ilimitadas de energía. Encontraba amor y gratitud en todas las cosas, pero nadie me enseñó eso con el ejemplo. Me di cuenta de que nací feliz, ya lo traía por dentro. La alegría es nuestro estado natural. Solo tienes que ver a los niños; nacen llenos de amor y felicidad.

A medida que iba creciendo, las cosas empezaron a cambiar. Tenía más opciones de cosas que experimentar, más opiniones que escuchar, más reglas que seguir de quienes estaban en posiciones de autoridad que me decían qué necesitaba y debía hacer, y lo que podía hacer mejor. Había más chicos en la escuela que me hostigaban y se burlaban de mí, más negatividad de las noticias y la influencia de la sociedad que me decía lo más popular y aceptado que debía hacer o tener en mi vida... y capté todo eso. Me estaba ahogando en un mar de negatividad.

Había tanta gente en mi vida que se burlaba de mí o hablaba mal de las cosas que me encantaban, y así una por una las fui abandonando para poder conformarme lentamente a la norma. Esto hizo nacer a "Pruébamelo Pete", un personaje que yo me inventé que siempre trataba de probar que valía ante los demás para obtener aprobación y aceptación.

No tenía idea que abandonar las cosas que amaba y me traían tanta alegría era la primera etapa de perder la verdadera esencia de quién soy.

Si alguna vez has dicho "siento que me falta algo" puede ser porque perdiste de vista las cosas que te traían más alegría en tu niñez. Lo que amabas de niño representa tu niño anterior, quien está conectado directamente al cordón umbilical espiritual que va hacia el cielo, lo que llamo tu energía fuente. Si un niño te tocara la pierna diciendo "mamá, mamá; papá, papá", y lo habías ignorado por 20 años, imagínate cómo sería esa relación. Se vería y se sentiría como que hace falta algo. El alma del niño quedaría abatida porque no le han dado cariño y atención. Imagínate lo que le pasa al alma de tu niño interior cuando ignoras por 20 años todas las cosas que te hacían de lo más feliz. Por ejemplo, tal vez vas caminando y de la nada se ocurre una idea que está tratando de captar tu atención, y la ignoras por la razón que sea. Era tu niño interior tocando tu alma diciendo, "mamá, mamá o papá, papá". O quizá le dices a una amiga, "Me encantaba bailar cuando era niño".

Y sabes que no has bailado en 10 o 15 años por la razón que sea. Era tu niño interior tocando tu alma pidiéndote salir a jugar. Esa es la parte que puede hacerte falta. Es la esencia más pura de tu alma que no recibe atención. A menudo esto crea un vacío dentro de nosotros y la sensación de que algo nos hace falta.

La primera vez que aprendí este concepto de forma inconsciente tenía cinco años. Estaba en la casa de mi tía Yvette y mi tío Keith para nuestra fiesta familiar anual de navidad. Los adultos estaban tomando y haciendo mucho ruido mientras que los niños estaban en la sala del frente presumiendo sus aptitudes de baile y canto con el video musical que saliera en el momento en MTV. Esto era algo nuevo para mí, y aún a mis cinco años, tenía miedo de hacer cosas nuevas enfrente de otras personas porque no quería meter la pata. Sin embargo, la idea de que ellos me iban a aplaudir fue lo que me impulsó a ponerme enfrente de todos. Lo que de veras quería era que todos en la fiesta me dijeran, "¡Bien hecho!" Era mi oportunidad.

Me acuerdo como si fuera ayer. Salió la canción *Moonwalker* de *Michael Jackson.* Era mi turno de mostrar mi destreza en frente de mi familia. Comencé a cantar y hacer todos los movimientos de Michael Jackson lo mejor que pude cuando pasó lo impensable. Uno a uno, los adultos empezaron a reírse de mí, y algunos de ellos dijeron,

"¡Garrain! ¡No puedes cantar!" Otro dijo, "¡Garrain!

¡No puedes bailar!" Algunos de los niños dijeron lo mismo. Oír eso era algo que no se sentía bien. Con una sonrisa falsa, seguí adelante. Sentí que se me hacía un nudo en el estómago y estaba a punto de llorar.

En ese momento mi papá empezó a gritar. Al principio no entendía lo que estaba gritando porque estaba tan borracho que casi ni se podía poner de pie, pero entonces entendí claramente. Me estaba defendiendo. Gritó exactamente estas palabras:

"¡Hey! ¡No le digas a mi hijo que no puede hacer algo! ¡Garrain, si te gusta y te hace feliz, hazlo! Hazlo pase lo que pase. Haz lo que amas. No les hagas caso.

¡Haz lo que amas y no dejes que nadie te detenga!"

En ese momento me llenó un sentimiento de seguridad arrolladora. Seguí cantando y bailando sin importar lo que dijeran los demás. Ese día se plantó una semilla muy importante.

Cuando me hice adulto, me olvidé de lo que me hacía feliz. Vivía mi vida para amoldarme a la idea de cómo otras personas pensaban que debía hacerlo. Era como vivir en la celda de una cárcel dentro de la celda de otra cárcel. Sentía como si estuviera muy lejos de dónde debería estar. Ya no era el niño feliz que hacía lo que amaba, invertía más energía en buscar la aprobación de otras personas y hacer lo que ellos querían que hiciera y me perdí completamente a mí mismo en el proceso.

Claramente me hacía falta algo. Allí estaba yo, un hombre adulto de 30 años viviendo en su coche y todavía pidiéndole a su mamá que le mandara dinero para poder pagar las cuentas. No tienes que haber vivido mi vida para poder identificarte con la sensación de no sentirte auténticamente feliz con tu vida.

Cuando reflexiono sobre esa época, hubo momentos en los que de modo espontáneo e inconsciente hice lo que amaba. Después de investigar más a fondo, puedo ver que fue cuando se manifestaron las cosas más mágicas en mi vida. Me llegaban cheques inesperados de la nada. Tenía éxito en audiciones a las que se suponía ni siquiera debía ir, y por casualidad encontraba la cantidad de dinero exacta que necesitaba para pagar el alquiler cuando mi compañero de casa se gastaba su parte en drogas. Hasta conocí a Britney Spears y bailé con ella en un club, y luego ella vino a verme en mi obra de teatro el siguiente día.

Nunca me olvido de mi papá gritándome "haz lo que amas" y eso me ha ayudado a mantener mi felicidad, sin importar las circunstancias. A nivel espiritual, no tenía idea lo que "haz lo que amas" quería decir para mi alma. Solo sabía que me mantuvo feliz cuando estaba en prisión.

Tenía 23 años, y mi vida estaba llena de orgullo, ego, egoísmo y codicia. Acabé en una prisión francesa con una condena de 12 años por traer 6.2 kilos de heroína de contrabando. Sabía que me estaban pagando por hacer algo sospechoso, pero no sabía que era contrabando de drogas cuando me pagaron por conducir un automóvil para cruzar la frontera.

La historia era como un disco rayado. Hasta donde yo sabía, mi vida se había acabado. Un día nos dejaron ver la película *Sueño de fuga*, cuya trama se desenvolvía en una prisión y era sobre un hombre al que habían incriminado en un asesinato, y estaba tratando de probar su inocencia. Una línea de la película me dio la llave para mi libertad. Tim Robbins dijo, "Pueden quitarme todo lo que quieran, pero no pueden quitarme mi mente". Después de escucharla mi cerebro explotó con una revelación. En ese momento me volví un hombre mentalmente libre, sin importar las circunstancias. Siempre que hiciera lo que amaba, iba a ser libre. "Haz lo que amas." Cerré los ojos y lo dije de nuevo, "Haz lo que amas". Sabía que mi papá estaba conmigo. "Siempre que hiciera lo que amaba, iba a ser libre."

Me di cuenta de que había enterrado la esencia de mi alma, o sea al niño interior, con vida. A partir de entonces volví a cantar, bailar, dibujar, correr, crear, inspirar a la gente y traer alegría a sus vidas a pesar de mis circunstancias. Digamos que la libertad se volvió parte de mi naturaleza. Mi sentencia de 12 años duró seis meses y los 6.2 kilogramos de heroína resultaron ser falsos (les repitieron la prueba 3 veces), así que me soltaron. Estaba leyendo la biblia, un libro sobre positividad y comencé a hacer y ser lo que amaba, y eso encarnaba las características de la libertad. Me sentía libre. Yendo al grano, ahora era de hecho un hombre libre. "Lo externo es la manifestación física de lo que está pasando en el cerebro."

Así que cada vez sientas un impulso creativo o recuerdes algo que te hacía feliz en tu niñez, recuerda que es tu niño interior tocando tu alma, tratando de captar tu atención. Desea ser cuidado. Esta es la fuente de la mayor parte de la infelicidad del mundo.

Sabiendo esto, ¿seguirás ignorando y distanciándote de las cosas que amas? o ¿comenzarás a explorar, amar, fomentar y cultivar la felicidad de nuevo en tu vida? Si naciste con esto ya dentro de ti, el instante en que lo dejas, empezarás a funcionar como algo que no eres.

Creo que la esencia de lo que somos es el amor, para eso es que nacimos. Cuando hacemos lo que amamos, accedemos a nuestra naturaleza auténtica. Fluimos con el universo. Donde está el amor, está Dios porque creo firmemente que Dios es amor.

EJERCICIO:

En un diario o en una hoja de papel en blanco, escribe las cosas que amabas hacer y que te alegraban más que nada cuando eras niño. Podría ser jugar en la lluvia, contar las estrellas en el cielo de la noche, pintar, bailar o subirte a un árbol. Lo que sea que te cause alegría son lo que llamo amplificadores del alma. Comienza a incorporar esos amplificadores del alma a tu vida al menos una vez por semana. Deja que ese sentimiento de amor se desborde dentro de ti. Recuerda, un niño necesita que lo reconforten constantemente con amor, cariño y cuidado, al igual que tu niño interior, por lo que debes ser constante. Activar tu corazón y amplificar el amor que ya llevas por dentro es la clave para elevar tu energía. Usa esa energía para impulsar tus acciones. Con el tiempo verás que las cosas y las personas cambian a tu alrededor. Sigue llevando un diario para documentar el proceso porque verás como el plan maestro de tu vida se ajusta de acuerdo al amor que ves y sientes auténticamente en ti mismo.

El amor es mi religión
YO SOY
¿Quién eres tú?
YO SOY *amor*
Dios es amor
El amor es Dios
Dios es el universo
El universo es un reflejo de lo que llevo dentro
El Dios allá fuera es la exhalación que inhalo
Nosotros somos Dios
Dios somos nosotros
YO SOY *tú*
YO SOY *yo*
YO SOY *Dios*
Dios es ella
Dios es **YO SOY**
YO SOY *es creación*
Dios, ¿eres tú?
¿Cuál es tu traducción?
Dios soy yo
¡YO SOY *el* **QUE SOY***!*
Dios es libre
Solo sigue el plan
Yo y mi padre somos uno,
pero Él es más grande que yo.
Elegí seguir al hijo, ahora mis alas están
listas para volar.
YO SOY. YO SOY. YO SOY.

| Garrain Jones

"Lo que tenemos en nuestro interior fluye con el mismo espíritu de lo que hace crecer las flores. Solo que el fruto que da es paz, amor, gozo y riqueza en abundancia. Por eso, ¿por qué posponer la oportunidad de crecer constantemente?"

"La esencia de la vida es el crecimiento"

Jim Rohn

"Tu futuro es rehén de la resistencia a la que te aferras."

"Crea espacio para hacerle lugar a tus bendiciones"

Touré (PT) Roberts

CAPÍTULO 6

Temporada de actualización

"Crea espacio para hacerle lugar a tus bendiciones."

Touré (PT) Roberts

¿Alguna vez has estado tan estresado y distraído por la vida que tus pensamientos se amontonan uno sobre el otro? ¿Has notado que cuando no puedes pensar con claridad o concentrarte, da la casualidad de que tienes tantas cosas en tu vida que parece que no puedes con todo?

¿Alguna vez te has sentido como si estuvieras estancado en una arena movediza mental y parece que no logras descubrir cómo salir?

No te parece extraño que cuando te sientes así, por casualidad, es cuando tienes más argumentos, accidentes automovilísticos, pantallas de dispositivos móviles rotas, te quedas sin espacio de almacenamiento en tu teléfono, tienes tu hogar sucio, pierdes cosas, terminas relaciones, te despiden y la lista puede seguir. Esto se debe a que lo externo es la manifestación física de lo que está pasando en el cerebro.

Cuando nos falta claridad o no nos concentramos, caemos víctimas de acaparamiento mental, lo que se manifiesta en lo físico.

Si no sueltas lo que no te sirve, empiezas a acumular desorden, y lo sigues acumulando y acumulando. Antes de que te des cuenta, acumulaste mucho —mucha basura, mucho resentimiento, mucho odio y mucho de lo que sea que hayas coleccionado y acumulado con el tiempo.

Podrías estar disfrutando de toda la belleza que estaba destinada a estar en tu vida, pero como no sueltas toda una vida de sentimientos y emociones acumulados, no hay espacio para lo que quieres. Aferrarte a lo viejo expresa que no mereces una vida abundante.

Piensa en los tiempos cuando llegaban cosas buenas a tu vida. ¿De dónde venía eso? Es como todas esas cosas y esas personas llegaban de la nada. Pero las cosas no simplemente pasan. Tu vida te está respondiendo. Antes de que pasara, soltaste algo. Te rendiste. Hiciste espacio para que algo o alguien nuevo llegue a tu vida. Tal vez no fuiste consciente de ello, pero tú fuiste la causa de todo.

Después de que sueltas lo viejo, estás literalmente más cerca de tu naturaleza auténtica. Es dónde quieres estar, es para lo que naciste. Piensa en los bebés. Nunca has visto un bebé lleno de odio. Nunca has visto un bebé inseguro. El odio y las inseguridades son resultados colaterales de la domesticación. Son cosas que obstruyen la mente y crean un revoltijo mental. Se trata de un comportamiento aprendido. Las personas no hacen lo que dices. Hacen lo que ven y responden a cómo se sienten.

Analiza los últimos cinco años de tu vida. ¿Sigues usando la misma ropa? ¿Te presentas de la misma manera, te enojan las mismas cosas, tienes la misma actitud y dices las mismas cosas de siempre? ¿Son los resultados de tu vida los mismos? De ser así, ha llegado el momento de hacer cambios Yo llamo a esto la temporada de actualización.

Si hoy le preguntaras a la gente de tu vida si usan un teléfono de disco o un bíper como fuente principal de comunicación, ¿piensas que dirían "sí" o "no"? Te responderían "no" porque los tiempos han cambiado y la mayor parte de la sociedad ha evolucionado con los tiempos, lo que incluye la tecnología.

Ahora, imagínate a ti mismo como un teléfono. Yo sé que hay muchos diferentes tipos de teléfonos inteligentes, pero para simplificar, voy a hablar del iPhone. Si le preguntaras a toda la gente de tu vida qué modelo de iPhone tiene, ¿qué diría la mayoría?

¿Dirían que tienen el iPhone 3 como su fuente principal de comunicación? ¡Para nada! ¿Qué tal el iPhone 4? Bueno, tal vez algunos sí lo tienen. ¿Qué tal el iPhone 5? ¿Quizá 10 personas? ¿Y el iPhone 6? De la mayoría de personas que conozco que tiene un iPhone, probablemente más del 70 % tiene un iPhone 7. ¿Y ahora con el iPhone 11? ¿Es la mayoría de gente en tu vida?

¿Por qué? Porque la tecnología evoluciona, y dejamos ir los procesos viejos porque están usados y obsoletos. Cuando soltamos lo viejo, le damos lugar a lo nuevo.

Piensa en los momentos que recibiste una notificación para actualizar tu teléfono. ¿Seleccionaste *ahora no* o lo actualizaste de inmediato? La razón por la que crean actualizaciones es porque el teléfono evoluciona con los tiempos. ¿Has notado lo que pasa después de cierto tiempo cuando no actualizas tu teléfono? Funciona más lento. ¿Es posible que cuando constantemente te saltas actualizaciones, después de cierto tiempo el teléfono se descompone, y tú mágicamente lo dejas caer o se rompe la pantalla?

¿Podría ser una señal del universo de que ya es hora de actualizar?

Ajá, ¿y qué pasa con *tu* actualización? Cuando no cumples con la actualización humana, no pierdes la tecnología. Empiezas a perder tu vida. Empiezas a perder gente y oportunidades. Te empiezas a perder tantas cosas diferentes porque te sigues presentando de la mismísima manera que siempre has hecho. Por eso Apple no sigue lanzando el mismo iPhone con el mismo software. Siempre hay una actualización con nuevas funciones.

Cuando te vuelves predecible y no hay incentivo en tu vida, las personas a tu alrededor se aburren. Te aburres de ti mismo. Yo pienso en este momento, cambiar tu mentalidad, cambiar tu filosofía de vida podría ayudarte de modo importante. Así que, ¿por qué no cortarte el pelo, conseguirte un novio, una novia, comenzar una membresía a un gimnasio, leer un libro si normalmente ves televisión, cambiar esa actitud, subir por las escaleras o ir por una ruta diferente al trabajo? Simplemente haz algo para incentivar un poco tu vida.

La temporada de actualización es el resultado de descubrir que cuando te sientes estancado, y las cosas a tu alrededor no se están moviendo o están muriendo, es algo que está directamente relacionado casi en un 100 % con el crecimiento que no estás teniendo contigo mismo.

Es la temporada de elegir lo que te toca soltar. El lugar donde te sientes estancado es tu escuela. Hay algo en tu vida que no quieres dejar ir, es como si dijeras "quiero aferrarme a como solían ser las cosas". Cuando los iPhone salieron con el reconocimiento facial, nadie dijo volvamos al iPhone 2. La gente quiere mejor y más nuevo, quieren el incentivo que resulta de mejorar, cambiar y evolucionar.

Al retener malas actitudes, rencores, resentimientos, vergüenza, ideas y creatividad, te bloqueas espiritualmente. No fuimos creados para ser custodios. Por eso es que a veces puedes sentirte abrumado. El peso del mundo que cargas sobre los hombros es el peso de las cosas que te guardas por dentro que ya no te sirven. Es como obstruir el desagüe porque el tapón está en el medio, de la misma manera, no te das cuenta de lo mucho que estás obstruyendo tu vida y no estás creando espacio para que lleguen cosas nuevas.

La misma fuerza necesaria para aferrarse a lo que no te sirve es la misma cantidad de energía necesaria para elevarte y sostenerte en el siguiente nivel. Todo lo que te pido es que abras las manos y veas que pudiste haber tenido eso que anhelabas tanto si soltaras lo que no quieres dejar ir. Como en una mano cerrada que se abre, allí hay un puñado de perspectiva fresca.

Piensa en tus relaciones. Piensa en las diferentes cosas que no han sido incentivadas. ¿Cuándo fue la última vez que actualizaste tus habilidades de liderazgo?

¿Cuándo fue la última vez que le diste una actualización a tus emociones y actitud? ¿Cuándo fue la última vez que actualizaste tu vestuario y apariencia? ¿Le estás dando a todos a tu alrededor tu calidad de iPhone 1 y preguntándote por qué no están interesados o animados cuando están cerca tuyo?

Te invito a que dejes de usar las mismas viejas funciones con el mismo teléfono viejo. ¿Cuál es el punto de hacer las mismas cosas que has hecho los últimos cinco años si no trabajan en tu favor? Es hora de soltar, agregar nuevas funciones y actualizar. Mi papá me dijo una vez, "Si siempre haces lo que haces como siempre lo has hecho, siempre obtendrás lo que siempre obtienes".

Mi relación con mi hija necesitaba desesperadamente una actualización. En realidad, ni siquiera tuve una relación con ella por 15 años, pero siempre seguía intentando hacer exactamente lo mismo con la misma mentalidad. Tenía libros de desarrollo personal por toda la sala sobre todo tipo de temas, menos la crianza de hijos o cómo entender a los adolescentes.

Empecé a tomar seminarios sobre relaciones y a leer libros sobre adolescentes. Me eduqué a mí mismo sobre cómo ser padre. Todo era una actualización. Sabía que tenía que hacer algo que nunca había hecho antes. Le pedí a mi hija que saliera en una cita conmigo. Aprendí mucho. Ella quería ser escuchada, reconocida, vista y amada. Quería que yo escuchara. Yo nunca había actuado desde ese espacio con una mujer. Solo trataba de hacer lo mismo de siempre sin ningún tipo de actualización, así que eso fue una actualización de mi actitud. Las nuevas funciones eran escuchar, reconocerla, ser constante, hacerla sentir como una prioridad y hacer que ella y su mamá se sintieran seguras. Todo era muy nuevo para mí, así que cometí muchos errores en el proceso, como los errores que ocurren con el teléfono nuevo o con aprender un idioma nuevo. Me queda mucho por recorrer, pero estoy agradecido por lo que hemos logrado como familia.

El cambio trae crecimiento. Si no estás creciendo, estás muriendo. Todo lo que creaste es lo que estás viviendo ahora. ¿Pasó todo eso de la noche a la mañana? No, pasó con el transcurso del tiempo.

Ya sea poco a poco o de una vez, solo puedes hacer espacio para tu nueva actualización hasta que sueltas lo que has estado acumulando por años. ¿Qué es lo que ya no te sirve? ¿Has estado cargando celos, resentimiento o ira? Suelta todo eso para que puedas darle lugar a nuevos sentimientos y emociones positivos.

Una historia sobre mi amigo PJ describe cómo funciona esto. Prepárate para algo sorprendente.

Hace poco fui a Arizona y visité a mi amigo PJ. Cuando llegué, me contó que su hija Ava estaba sufriendo de pesadillas y rabietas extremas; y lo que no sabían en ese entonces es que eran un efecto directo de la guerra espiritual en su casa.

Pasé la noche allí y escuché los gritos de Ava durante toda la noche. Sonaba como si estaba gritando por su vida. Le dije a PJ que lo que oía no eran gritos normales.

No lograba darle sentido, y eso picó mi curiosidad. Algo me movió a echar un vistazo a mi alrededor. No había visto la casa en mucho tiempo y la habitación de Ava fue mi primera parada. Vi el garaje. Vi los platos sucios. Vi por todas partes y me di cuenta de que había mucho desorden acumulado en toda la casa. Le pregunté a PJ, "¿Te molesta si comparto algo contigo?" Él accedió. Le pregunté, "¿Cuándo fue la última vez que le hiciste una limpieza profunda a la casa?" Me vio y me contestó sin inmutarse, "Nunca lo hemos hecho". Luego agregó, "Esta era la casa de mi mamá. Cuando la compré, años de recuerdos no deseados tenían repletos el garaje y el espacio de almacenamiento".

Le respondí de inmediato, "Hombre, ¿llevas viviendo aquí por lo menos diez años? Si nunca le has hecho una limpieza profunda a la casa, podría haber una gran acumulación de energía negativa, una encima de la otra, y ahora vives justo encima de todo eso. Pienso que porque los niños son más sensibles que los adultos a la energía, y tu hija lo está absorbiendo todo". Era hora de una actualización. Me ofrecí a ayudarle a limpiar. Él y su esposa Jessica estuvieron de acuerdo, así que empecé a tirar cosas que no necesitaban. Como había crecido viendo a mi mamá acumular cosas, era consciente del hoyo negro de energía que puede darse cuando no creas un espacio limpio que fluye. Era hora de soltar. Cuando sueltas cosas, creas espacio para hacerle lugar a tus bendiciones.

Apoyé a PJ y a Jessica en su limpieza profunda de la casa. Hasta la pequeña Ava ayudó. Tiramos cosas bien viejas. Tiraron un televisor viejo que no querían, así como muebles viejos, diciendo a la vez que querían remplazarlos con algo nuevo. La mamá de Jessica no tenía idea de lo que estábamos haciendo, pero mientras limpiábamos y tirábamos trastes, ella llamó diciendo que estaba en una tienda de muebles y nos invitó a que la acompañáramos a ver muebles nuevos. Yo sabía que no era coincidencia. Era parte de un diseño específico ahora que habíamos creado este espacio. Después de buscar por la tienda, compraron un mueble nuevo, un sofá. Y casualmente era el único sofá que venía con un televisor de pantalla plana LCD gratis. Era como si el curso de su vida se estuviera corrigiendo solo. Pudieron bendecir a alguien más con ese televisor nuevo y recibimos la bendición de un televisor más grande del abuelo de Jessica, quien falleció antes de mi visita. Ellos empezaron a entender mejor cómo despejar y ordenar su espacio, y cuando limpiaron un lado del garaje, recibieron la generosa bendición de un coche nuevo del abuelo.

Si eso no fuera lo suficientemente maravilloso, lo que pasó después confirmó todo. Decidí quedarme con PJ unos días más y cambié mi vuelo para apoyarlos aún más. Cuando terminamos, tenían claridad y Ava dormía mejor. Pararon las pataletas y todos podían respirar mejor.

Me fui, y como una semana después PJ me llamó por FaceTime, se veía sobresaltado. Le pregunté qué pasaba y me dijo que acababa de encontrar un escorpión en su habitación. Luego le pregunté cómo había pasado, y me contestó que se estaban volviendo perezosos, vieron el ventilador de techo polvoso y dijeron, "Ah… lo limpiamos mañana". Una noche cuando estaban bien dormidos, los despertó de repente el sonido de lo que parecía dos tubos metálicos chocando entre sí. Jessica le preguntó a PJ,

"¿Qué es ese sonido?" PJ respondió, "Espera..." No sabía lo que estaba pasando. Se sentó en la cama y sintió como que algo cayó sobre las sábanas Él fue a encender la luz y Jessica también se levantó de la cama, y descubrieron un escorpión gigantesco moviéndose sobre el cubrecama. Se dieron cuenta de que se había caído del ventilador de techo, y PJ me comentó, "Sé que Dios nos estaba diciendo que el mañana no nos está prometido. Nos vamos a ocupar de esto ahora mismo". Y lo hicieron y limpiaron otros tres ventiladores para estar seguros. Limpiaron la habitación adicional y también limpiaron el otro lado de su garaje de dos coches. Más tarde ese mismo día Jessica descubrió que estaba embarazada, ¿y adivinen para qué necesitaban la habitación adicional? ¡El bebé! Fue algo tan profundo porque al mismo tiempo que arreglaban la habitación y creaban el espacio, le daban lugar a la nueva bendición en sus vidas.

Dieciocho meses después tienen dos hijos hermosos y sanos. Remodelaron completamente la casa y viven la vida en sus propios términos. No hay nada más hermoso que ser testigo de ese tipo de transformación.

Si sientes esa energía vieja de monotonía en todo lo que te rodea, es hora de crecer. Si empiezas a escuchar que la gente cerca de ti dice, "Estoy aburrido. Me siento bloqueada. Estoy cansado o esto ya no es divertido", mira bien tus relaciones. Es hora de crecer.

Si la vida no te entusiasma ni te emociona, te aseguro que te falta incentivo. Cuando ves un área de tu vida que no está funcionando, te falta un incentivo. La energía va hacia donde fluye la energía. Cuando tus propios sueños sienten tu energía, las cosas van a trabajar a tu favor.

Cuando haces el proceso de soltar y dejar ir, creas el espacio para tu nuevo yo, funciones nuevas y mejoradas, pensamientos, oportunidades y relaciones. Actualízate y tendrás la fortaleza necesaria para el siguiente nivel de tu vida. Todo es parte del proceso. Cuando estás en constante evolución, serás un generador de poder potencial.

EJERCICIO:

En este ejercicio quiero que seas honesto contigo mismo sobre cómo sientes que está funcionando cada una de estas áreas en tu vida.

Sabrás lo que está funcionando y lo que no; produce el resultado deseado o no lo produce. Luego, evalúa tu propia eficacia usando una escala del uno al diez. Durante los próximos 21 días, concentra toda tu atención en cómo actualizas cada una de estas categorías y las mejoras en un uno por ciento.

1. Diversión y Aventura
2. Salud y Nutrición
3. Medio Ambiente y Cultura
4. Contribución
5. Desarrollo Personal y Espiritual
6. Negocios
7. Finanzas
8. Amigos, Familia y Relaciones

Cuando esto se vuelve parte de tu práctica diaria, empezarás a darte cuenta de cómo se desarrolla el poder dentro de ti. No es diferente a actualizar las funciones de tu teléfono celular, que te mantiene actualizado con lo último en tecnología.

Ya llegó la temporada de actualizaciones.

¡Aquí crecemos!

Entrega

| Garrain Jones

El Dios que respiro es el Dios que veo.
Qué hermosos es el amor de
Dios para mí.
De rodillas entrego el dolor
A través del resentimiento
y la vergüenza, dejo la lástima.
A través de ojos que creen, rompemos
las cadenas.
Si estás inspirado, hay mucho
más por lograr.
Habrá retos, pero ese es el precio.
Deja ir y deja que Dios saque
el árbol de raíz.
Llegó la temporada de actualización.
Hay mucho más que ver.
Esta función de amor, una nueva
actualización en mí.
Invierte en tu felicidad.
Esta es la llave.
Porque esta libertad venida de
lo más alto te pondrá en libertad.

"No hay correcto o incorrecto, solo nuevos niveles de conciencia.

Tratar siempre de tener la razón solo alimenta el ego.

Otra opción podría ser elegir amar."

"La oscuridad no puede deshacer la oscuridad; únicamente la luz puede hacerlo. El odio no puede terminar el odio; únicamente el amor puede hacerlo."

Martin Luther King Jr.

"El resentimiento es una prisión"

"Las disculpas te liberarán. El perdón completará el ciclo."

"Si pones límites al amor, tus bendiciones te pondrán límites a ti"

"El mundo está vestido de blanco y negro y el amor es el color"

CAPÍTULO 7

Ama no importa lo que pase

El amor verdadero no tiene fronteras.

Hubo una serie eventos emocionales que ocurrió hace cinco años que cambió por completo el curso de mi vida. Como he mencionado varias veces a lo largo de este libro, si no tienes conciencia de algo, no lo puedes cambiar. En ese entonces no sabía cuánto resentimiento tenía en mi corazón y no estaba dispuesto a perdonar a otros. Si alguien me lastimaba, no soltaba ese rencor y de algún modo encontraba la manera de hacerlos pagar. Si alguna vez lastimaba a alguien o lo hacía sentir mal de alguna forma, yo decía "Ni modo" y seguía con mi vida, o bien fingía una disculpa en un intento de crear el resultado que quería. No tenía idea de lo que le estaba haciendo a mi vida a nivel espiritual o físico.

Al iniciar mis treintas, me encontraba cargando de forma inconsciente tanto dolor y resentimiento con los demás, que era como tomarme el veneno yo y esperar que muriera la otra persona. Me preguntaba a mí mismo constantemente,

"¿Por qué mi vida sigue empeorando?"

Estaba claro que vida me estaba respondiendo a mí y a mi comportamiento.

Sin embargo, todo esto paró bruscamente el día que contacté a una compañera de la escuela a la que había hostigado cuando ambos teníamos siete años. Cuando era niño no sabía qué era lo mejor, pero me acuerdo claramente que estábamos en el autobús escolar y le jalé la capucha de la sudadera sobre la cara y le pegué en la cabeza con mi gran mochila amarilla. Nos reímos a costa de ella. En los últimos años, he visto su página en las redes sociales, y siempre me recuerda ese día en el autobús. Decidí contactarla para disculparme.

Este fue mi mensaje textual:

¡Wow! Hace tanto tiempo. Espero que esté todo bien contigo y tu familia. No sé si te acordarás de esto, pero quería disculparme por haberte hostigado en segundo grado. Los niños hacen cosas tan estúpidas.

Ella lo leyó, pero no respondió. Así que decidí publicar algo más largo en mi página pública de Facebook, diciendo literalmente lo mismo. Cinco minutos después de publicarlo ella me escribió esto:

1. ¿Podrías no publicar eso en Facebook para que todo el mundo lo vea? Me hace sentir mal.
2. ¿Por qué me haces esto?
3. ¿Por qué piensas que me hicieron eso? Tengo dos hijos pequeños y es difícil enseñarles acerca de

> hostigar y ser hostigados. Me acuerdo de esa vez y muchas otras y me pregunto, ¿qué había en mí que hizo que me trataran así?

Me quedé sin palabras porque no podía creer que la gente se aferrara al modo en que otros los hicieron sentir por tanto tiempo. Me disculpé en un intento de crear espacio y darle lugar a nuevas posibilidades. Podía ver que estaba dolida y le había causado una respuesta emocional. Seguimos hablando de eso, lo que nos dio a los dos mucha claridad. Todo lo que quería era darle mucho amor y compasión. Me sentí más ligero después de esa conversación. Ahora entiendo por qué hay tanto dolor en el mundo. No dejar ir el resentimiento y no poder disculparse o perdonar completamente detiene el flujo del amor.

Esto me inspiró a escribir una lista de todas las personas contra quiénes hice algo negativo con acción o pensamiento, y terminó incluyendo los nombres de 250 personas, desde el kínder hasta el presente. Además, agregué los nombres de personas que me habían lastimado con la intención de disculparme con ellos por mi parte en el resentimiento que les había guardado, y no tenía ningún tipo de expectativa de respuesta de su parte. Sabía que era mi oportunidad de romper con las cadenas del pasado. Un globo aerostático no puede dejar la tierra a menos que suelte peso.

Me disculpé con cada persona, y cada vez me sentía más ligero. A medida que iba teniendo estas conversaciones para limpiar espacio, algunas personas me respondían, otras no, algunos seguían enojados, pero otros incluso se disculparon conmigo por su parte. Sin embargo, no se trataba de su respuesta. Se trataba más bien de mi proceso de sanación, así que seguí adelante. Desarrollar el músculo de perdonar y pedir disculpas fue un ejercicio de maestría para mí, lo que me llevó a uno de los ejemplos más poderosos que confirmó completamente el título de este capítulo, "Ama no importa lo que pase".

Otro tipo y yo estábamos en el mismo negocio. Generábamos los mismos ingresos y teníamos un modelo de negocios muy parecido. Yo era un atleta, así como él. Cuando estábamos cerca se podía percibir una naturaleza competitiva poco saludable. No me caía bien, ni yo a él, y todos lo sabían. Llegó un momento en nuestros negocios en el que parecía que algo más allá de nosotros mismos nos mantenía en el mismo lugar. Un buen día me cansé de vivir con ese resentimiento interno. Me vi en el espejo y dije, "Ser amigo de él no tiene nada que ver con que él sea un amigo para mí, así que voy a elegir el amor no importa lo que pase". Desde ese momento, no iba a permitir que el estado de alguien más cambiara quien soy como persona. Hice una elección poderosa: ser de naturaleza amorosa con todos a mi alrededor, incluyendo a ese tipo. Desde el fondo de mi alma sentí una fuerte vibración de calor saltar de mi pecho, y me sentí aún más ligero. Algo era diferente. Todo empezó a cambiar a mi alrededor, y rápidamente.

Mi guía espiritual, Monika, me dijo que había soltado el odio de mi corazón. En menos de tres meses, mi negocio se había triplicado, así como muchas otras áreas de mi vida. Era como tratar de mantener una pelota de voleibol bajo el agua y luego quitar la mano para permitir que la pelota se disparara a la superficie, que es donde debería estar. Imagínate que es como cuando se construye una presa para detener el flujo del agua. Bueno, mi vida tenía una presa espiritual llamada resentimiento, y en cuanto lo solté, empezaron a fluir los milagros. Mi socio de negocios eventualmente dejó ir su resentimiento contra mí y le pasó lo mismo en su vida y sus negocios.

Hubo una época en mi vida en que mi cara se veía igual a la de Thanos de *Avengers*. Tenía lágrimas en los ojos, el dolor me pulsaba, y de remate, tenía doble inflamación en la mandíbula. Fui al dentista, quien me examinó y me dijo que no tenía las herramientas indicadas para hacer el trabajo dental necesario, me recomendó que fuera a ver a un especialista.

Pasé todo un día de dolor insoportable, y cuando vi al especialista me dijo que el diente en cuestión necesitaba un tratamiento de endodoncia. Nada de eso tenía sentido para mí porque ya me habían hecho uno hace 15 años en el mismo diente, entonces, por qué iba a necesitar otro. El especialista me explicó, "Quien sea que te haya hecho la endodoncia original no llegó a la raíz, así que ahora estás sintiendo la acumulación de quince años de infección que está saliendo a la superficie. En términos de odontología, tienes una infección del tamaño de dos campos de fútbol americano".

No podía creer lo que acababa de escuchar, y para agregarle más drama a la historia, tenían que usar el doble de equipo, era el doble de trabajo y el doble de dolor. Me abrieron la parte inferior de la mandíbula derecha y tuve que pagar el doble, y todo porque nunca se había tratado la raíz del problema.

Sé que esta historia parece una locura, pero lo que te parecerá aún más loco es el hecho de que cambié mi perspectiva de vida a lo largo de este proceso. Imagínate que estoy tirado en la silla del dentista, lleno de anestesia, mordiendo una pieza de metal de 6 pulgadas envuelta en gaza y goma para mantener la boca abierta. Allí es cuando cambié mi mentalidad, y toda mi vida cambió en ese preciso instante. Me di cuenta por qué tenía tantas relaciones poco saludables en mi vida, venían así desde la base. Mis encías acumularon 15 años de infección porque el dentista nunca limpió la caries en la raíz, y fue necesario que lo que se veía por fuera revelara lo que estaba pasando por dentro; y lo mismo pasaba con las relaciones fallidas de mi vida. Ya sea que alguien me lastimara, o yo lastimara a alguien. Ya sea que yo me aferrara al resentimiento o nunca perdonara. Todo eso era como una caries que nunca se trata. Así que naturalmente tenía sentido que la raíz de mis relaciones no era nada sana, así como la de mi diente.

Lo hermoso de esta revelación es que elegí hacer algo al respecto. Es como cuando alguien elige ir al dentista a sacarse una radiografía para ver la raíz del problema y luego prepara un plan a fin de corregirlo. Haz el trabajo profundo para eliminar la caries y sacarla de raíz. Luego debes tener rituales diarios para mantener una base sana con un plan de seguimiento para conectar y monitorear el progreso.

Es la misma fórmula que seguí para restablecer muchas de las relaciones que anhelaba en mi vida. Tomé responsabilidad completamente por mi parte e hice una radiografía de las relaciones. Necesitaba ver cuál era la causa fundamental de relaciones poco saludables. Para ser honesto, no se trataba de la otra persona, se trataba más bien del papel que yo jugué para que la relación no fuera saludable. Les guardaba tanto resentimiento a tantas personas, y si alguien me lastimaba, nunca lo perdonaba. "Tienes que sacar todas las piezas del rompecabezas de la caja antes de armarlo".

Empezó a quedarme más clara la destrucción de mi vida. Era trabajo profundo. Hice justo eso cada vez que ubicaba un problema que era como una caries. Puse manos a la obra. Me perdoné por ser tan duro conmigo mismo o por haber sido resentido en algún momento. Luego perdoné a otras personas o las llamé para pedirles perdón por lo que sea que yo hice. Cómo respondían no era mi responsabilidad porque yo asumía plena responsabilidad de mi parte. Esto limpió el espacio para que yo pudiera crear una nueva posibilidad con esa relación. Era como poner una corona sana sobre mi diente. A partir de allí, elegí enfocarme en las posibilidades y constantemente retomarlas, lo que las volvería realidad. Era como ir a consultas regulares con el dentista para evaluar el progreso.

Después de tener tantas diferentes oportunidades de ejercitar ese músculo de pedir disculpas y perdonar, encontré la fuerza para poder perdonar en un área de mi vida que nunca pensé iba a ser posible. Perdoné poderosamente a los dos hombres que mataron a mi papá. Por muchísimos años les deseé la muerte y todo lo malo a sus familias. Todo ese resentimiento vivía dentro de mí como un parásito, y de forma inconsciente me estaba haciendo lastimarme a mí mismo y a todos a mi alrededor.

Finalmente, decidí soltarlo y amar sin importar lo que pase. Elegí poderosamente desearles nada más que bendiciones a ellos y a sus familias.

Conté esta misma historia desde un escenario ante un público de 2,000 personas, y cuando terminé, un señor se acercó y me preguntó si podía hablar conmigo. Con la mano le indiqué que viniera conmigo y en cuanto llegó me dijo: "Quiero pedirte perdón en nombre de esos hombres que mataron a tu papá". Yo estaba tratando de entender el significado de esta conversación.

Él agregó, "Hace quince años me arrestaron por intento de asesinato y hoy salí de prisión. Iba a matar al que me delató, pero después de escuchar tu historia cambié de idea y quiero una mejor vida". Luego dijo, "por eso te estoy pidiendo perdón en nombre de esos dos hombres".

En ese preciso instante, sentí saltar un movimiento de energía fuera de mi pecho. Me sentí más ligero y empecé a llorar porque nunca pensé que iba poder encontrar un cierre para esa área de mi vida en particular. Nunca me imaginé que soltar el resentimiento y permitirme perdonar daría como resultado esa sensación de paz y libertad que había estado buscando desde que tenía doce años.

Te invito a que consideres las áreas de tu vida en las que aún no eliges perdonar a alguien, o en las que no has dejado ir un resentimiento por la razón que sea y estás haciendo que otros paguen el precio repetidamente. Solo te estás lastimando a ti mismo si no actúas desde un espacio de amor. Si el amor tiene condiciones o algo tiene que pasar para que des tu amor, eso no es amor. El amor verdadero no tiene fronteras ni condiciones. O sea, amas o no amas.

Reflejamos como nos tratamos a nosotros mismos por dentro. Esto me lleva a la persona más importante de todas con que la que te debes disculpar y debes perdonar. Esa persona eres tú. ¿Cuándo fue la última vez que te perdonaste por lo duro que has sido contigo mismo? Nadie es más duro con nosotros que nosotros mismos. ¿Cuándo fue la última vez que te trataste a ti mismo con generosidad, cariño, amor y afecto? Si tomas más de medio segundo para encontrar la respuesta, es muy probable que te hayas quedado fuera de la ecuación del amor. Recuerda que nuestras vidas son la manifestación de la manera exacta en la que nos tratamos a nosotros mismos. Nos toca crear el espacio para amarnos a nosotros mismos no importa lo que pase. No podemos dar lo que no tenemos, y tú mereces ser feliz.

La cosa es, la única manera de ser verdaderamente feliz es usar tu corazón. Es un músculo muy poderoso y como cualquier otro músculo, si no lo usas, se debilita. Fortalecer el músculo del corazón debe ser un foco de atención importante que cuando le das el debido cuidado y ejercicio, producirá los mejores resultados.

Piensa en cuando estás haciendo ejercicio en el gimnasio. Si quieres ser más fuerte, es necesario que ejercites los músculos de forma constante. Si quieres músculos más grandes, debes agregar pesas más pesadas e incrementar la resistencia. Tu fuerza y tus músculos aumentarán en proporción a la resistencia que emplees al ejercitarte. Si apenas vas comenzando, los músculos de verdad te van a doler.

Es el mismo proceso para fortalecer el corazón. Entre más ejercitas el músculo de tu corazón de forma intencional y eliges amar no importa lo que pase, momento a momento, tendrás más fuerza, más creatividad, más intuición, más juventud, más salud, estarás más disponible para amar con más profundidad y más disponible para ser amado profundamente. A continuación encontrarás algunos ejercicios específicamente diseñados para fortalecer tu corazón. Prepárate para ir donde nunca has estado antes.

EJERCICIO:

1. Escribe 5 cosas por las que te perdonas poderosamente a ti mismo. Luego, ve a un espejo y mirándote a ti mismo, dilas en voz alta.

   Puedes empezar las frases de esta

   manera. Me perdono a mí mismo por:

   1.

   2.

   3.

   4.

   5.

2. Escribe los nombres de 5 personas que eliges perdonar poderosamente por lo que sea que te hicieron.

   Te perdono (Nombre):

   1.

   2.

   3.

   4.

   5.

Te perdono por:

1.
2.
3.
4.
5.

La posibilidad que quiero crear en esta relación es:

1.
2.
3.
4.
5.

3. Escribe los nombres de 5 personas a las que les guardas resentimiento y eliges poderosamente soltarlo.

    1.
    2.
    3.
    4.
    5.

Tomo esta poderosa oportunidad de pararte en responsabilidad y crear un espacio limpio contigo mismo. Contáctalos y diles que estás en el proceso de transformar tu vida y que quieres disculparte por el resentimiento que les guardabas, ya sea que fuera tu culpa o de ellos. Toma plena responsabilidad de tu parte sin expectativas de cómo deberían responder. Ese es el trabajo que les corresponde a ellos. A partir de allí, hazles saber las posibilidades que te gustaría crear en la relación de ahora en adelante.

Aquí les doy un ejemplo de una llamada que tuve con un familiar con quien no tenía relación. Debo agregar que no respondió del modo más positivo. Sin embargo, como no estaba concentrado en su respuesta, su energía no me desalentó. La posibilidad que yo creé fue lo que me edificó.

"Hola (Nombre), estoy en el proceso de transformar mi vida y quiero pedirte disculpas por el resentimiento que te he guardado por (lo que sea que pasó). Elegí guardarte resentimiento, en lugar de aceptar que estabas haciendo lo mejor que podías con lo que sabías, y lo siento. Dejo ir todo ese resentimiento y estoy creando la posibilidad de que tengamos una relación llena de amor, diversión y libertad en la que los dos aprendamos el uno del otro y que nada se interponga en el camino."

Esto crea un espacio que te hace tomar impulso del futuro y no volver a crear lo que no quieres del pasado. La única manera de tomar impulso a partir del futuro es crearlo y concentrarte en él.

Escribe 5 posibilidades que te gustaría crear poderosamente para tu vida.

La posibilidad que estoy creando para mi vida es:

1.
2.
3.
4.
5.

Cuando pones en práctica estos ejercicios de forma constante, verás un cambio en tu energía y estos ejercicios harán que tu corazón se haga más fuerte. Son los mismos ejercicios que le dieron fuerza a mi corazón para poder pedirle disculpas a 250 personas; para perdonar y disculparme con la persona que abusó de mí cuando era niño; para disculparme con la primera niña que me rompió el corazón y me rechazó cuando estaba en la escuela media; para pedirle disculpas a mi mamá por haber sido tan ingrato cuando era niño y ella solo estaba tratando de hacer lo mejor que podía; para perdonar a los dos hombres que mataron a mi papá cuando yo tenía doce años; para perdonarme a mí mismo y empezar a amarme profundamente, y así terminar atrayendo a mi alma gemela a quien amo profundamente porque ahora tengo espacio para ella y sobre todo para el amor, no importa lo que pase.

Como dije antes, el corazón es un músculo y entre más desarrollas el músculo de amar no importa lo que pase, más te revelará la vida de maneras que parecen solo ocurrir en sueños. Esta es tu elección momento a momento, entonces ¿para qué tipo de cosas vas a crear espacio? ¿A quién vas a amar no importa lo que pase?

¿Cuál es tu propósito?

¿Y si nuestro propósito fuera alcanzar nuestro máximo potencial y ser todo aquello que Dios nos ha llamado a ser?

Reconozco esto con la naturaleza, ¿por qué no sería así con nosotros?

¿Y si nuestra misión en la vida fuera volver a nuestro comienzo?

Recuerda

CAPÍTULO 8

El ritmo de la naturaleza

Cuando verdaderamente entendamos la maestría de dar y recibir y cómo nos conecta a todo lo que evoluciona, solo entonces viviremos la experiencia de nuestro auténtico ser caminando en la naturaleza divina. Ese es el compás de Dios.

En el 2013 yo me reunía con un grupo de líderes todos los días en un bar de bienestar. Muchos de ellos eran exitosos y yo no entendía el porqué. Estaba tratando de crear un negocio como ellos, pero nada de lo que hacía funcionaba. Creo que no podía ver cómo me percibían los demás. En ese entonces tenía un ego enorme, y me sentía con derecho a todo. Era condescendiente con la gente. Era celoso y hablaba de otros a sus espaldas siempre que les iba mejor que a mí en el negocio. Incluso las veces que ofrecía ayudar cuando buscaban voluntarios, siempre me preguntaba a mí mismo, "¿Qué voy a sacar de esto?" Cuando estaba frustrado, siempre mencionaba las veces que ayudé y nunca me dieron nada a cambio.

Trabajaba tanto o más que todos a mi alrededor, pero por alguna razón a la mayoría le iba mejor que a mí. Claramente me hacía falta algo. Un día le pregunté al dueño del bar de bienestar como podía crear un negocio exitoso. Me dijo, "Esto es lo que puedes hacer, siempre sé el primero en levantar la mano a la hora de colaborar". Lo vi como si estuviera loco porque lo único que se me ocurrió fue ¿cuánto me vas a pagar por ayudar? No tenía sentido, pero él y su esposa eran exitosos y respetados entre sus colegas, así que supuse que su consejo iba a servirme de algo. Sin tener ni idea, empecé a trabajar como voluntario en el bar de bienestar. Barría y trapeaba el piso, sacaba la basura, hacía licuados para la gente y lo hacía todo con una mala actitud. Todo lo que hacía era quitar, quitar, quitar.

A punto de renunciar, estaba en una llamada de liderazgo de media hora con el mejor líder de negocios e ignoré completamente los primeros 29 minutos. Luego él dijo algo que me dejó atónito. "Si tu negocio no está funcionando y quieres hacerlo crecer, necesitas encontrar el tipo adecuado de personas, y para encontrarlas, *tú debes convertirte en el tipo de persona que quieres atraer*".

Me quedé boquiabierto porque era la primera vez en mi vida que en realidad me importaba como me presentaba ante los demás. "Debes convertirte en el tipo de persona que quieres atraer" fue todo lo que necesitaba escuchar. Me miré en el espejo y dije, "Yo no querría estar en mi propio equipo de la manera en la que me he estado comportando con los demás". Todo cambió a partir de ese momento. Comprendí que toda mi vida me había dedicado a quitar. Siempre quería que la gente hiciera algo por mí, pero nunca les devolvía el favor a menos que tuviera algo entre manos. Efectivamente, era egoísta.

Una noche en YouTube, escuché decir a John C. Maxwell, "Las personas exitosas hacen cosas que las personas que no tienen éxito no están dispuestas a hacer". También oí las palabras del ya fallecido Jim Rohn, "El éxito deja pistas", y de nuevo quedé boquiabierto. Mi perspectiva cambió. Era como ver la vida a través de un nuevo par de lentes. Cambié mi mentalidad y empecé a prestarle mucha atención a las personas exitosas cerca de mí y a lo que hacían, cómo lo hacían, cómo actuaban, cómo trataban a la gente y cómo hablaban. Observé que hablaban muy bien de otras personas, incluso cuando no estaban cerca y edificaban a los demás. Algo que me llamó la atención era que siempre estaban en contribución, incluso sin que se les pidiera aportar algo. Nunca pedían nada a cambio, como si fuera parte de su naturaleza. Hasta vi al dueño del bar de bienestar pedir permiso para ir detrás de la barra de su propio negocio para ir a buscar agua.

Esta manera de ser era algo nuevo para mí y decidí tirarme de lleno con esta nueva mentalidad renovada. Me comprometí a tener una actitud de gratitud. Ahora era alguien que daba con alegría, ofrecía ayudar desinteresadamente donde quiera que iba. Mi meta era dejar todo y por todas partes en mejor que como lo encontré. Descubrí que "la gratitud es el pegamento que mantiene todo unido en la vida".

Me encantaba traer alegría a la vida de las demás personas. Aún si era difícil, encontraba una manera de seguir dando. No se me ocurrió una sola vez pensar en mi negocio ni que iba a sacar de eso. Pero el día menos pensado, muchísimas personas empezaron a seguirme en las redes sociales. Querían hacer ejercicio conmigo, me hacían preguntas sobre mi negocio y cómo podían involucrarse.

Me convertí en el tipo de persona que quería atraer. Mi negocio creció a pasos agigantados, y creé otros negocios con la misma filosofía de liderazgo de servicio, haciendo diez veces más de lo esperado y se empezaron a manifestar resultados poderosos.

No fuimos creados para ser custodios. Fuimos creados para ser dadores. ¿Alguna vez te has preguntado por qué tenemos orificios por todo el cuerpo? Esos orificios están diseñados para dar salida al sudor, al pelo, la vista, las palabras, la orina, los desechos, las ideas, la creatividad, etc. Literalmente fuimos diseñados para dar, y cuando lo hacemos, lo recibimos a su propio tiempo.

Dar y recibir es el flujo de la vida

¿Alguna vez has notado cómo las hojas de los árboles y las plantas se mecen suavemente de acá para allá o cómo las olas de mar son ondas que vienen y van? Incluso ahora mientras tú y yo respiramos, el aire entra a nuestros pulmones y sale, viene y va, dando y recibiendo. La noción de dar y recibir es parte de nuestra naturaleza y significa vida. Todo está conectado.

Cuando das desde un corazón desinteresado que está al servicio de los demás y te permites recibir humildemente sin expectativas, abres el paso para que lo divino siga su curso. Muchos fuimos domesticados desde niños a través del miedo y eso nos hizo crear inconscientemente esos bloqueos. Tenemos bloqueos de dinero, de autoestima, de salud, de fe, de metas y sueños y muchos otros bloqueos que detienen el flujo.

Fuimos diseñados para fluir, es nuestra naturaleza. Responder a nuestro llamado y seguir nuestros sueños está en nuestra naturaleza.

¿Cuál es tu sueño? Ese sueño que llevas por dentro que quiere salir. De nuevo, no fuimos creados para ser custodios y dejarlo todo dentro. Ni siquiera podemos retener la respiración. Entre más lo intentamos, más incómodo se vuelve. Si retenemos la respiración demasiado tiempo, eventualmente moriremos. Pasa lo mismo con nuestros sueños, metas, creatividad, ideas, resentimiento, perdón, disculpas, amor, regalos, etc.; algo dentro de nosotros morirá si los retenemos y a la larga se manifestará en cosas que parecen la muerte. Sabiendo esto, podemos ver claramente las áreas en las que se manifiesta el acto desinteresado de dar y recibir. También podemos ver todas las áreas de nuestra vida que quizá se sientan estancadas o rotas, lo que está relacionado directamente a un fallo en el dar y recibir.

Posiblemente te digas a ti mismo "Por alguna razón no puedo encontrar amor" o "No logro dar una con el dinero", sin darte cuenta de que todo está conectado. Imagínate que eres un niño y ni tu mamá ni tu papá te explicaron los valores de la vida, nunca te dijeron que creían en ti o que podías lograr algo en la vida. Te mostraban que siempre estaban demasiado ocupados como para invertir tiempo en ti. El niño dice entonces, "Nadie me quiere. No merezco amor" y crece sintiendo que no vale nada.

Pedirle a una persona que dé cuando ha estado bloqueada de forma inconsciente toda su vida causa miedo. Este puede ser el motivo por el que la mayor parte de la gente se vuelve quitadora. Por otro lado, hay personas que dan y dan, y se preguntan por qué siempre están cansadas o por qué nada fluye en su dirección. Se debe a que el flujo de la naturaleza fue creado para dar y recibir, no solo para dar o solo recibir. La dualidad es lo que cuenta.

Una vez me preguntaron, "Garrain, ¿cuál es el siguiente nivel para ti? Ya estás haciendo todo lo que amas. Tu vida está fluyendo, pero quiero saber qué sigue".

Yo contesté que quería amplificar los resultados en mi vida y estaba encontrando maneras de trabajar más duro. Mi asesora espiritual me dijo, "Tal vez no se trata de trabajar más duro, sino de trabajar más inteligentemente". Agregó, "Garrain, no conozco personalmente a nadie que dé tanto como tú, pero la pregunta que te tengo es, ¿cuándo vas a empezar a recibir en la misma medida en la que das?" ¡Me hizo estallar la mente!

Al día siguiente di un discurso en una conferencia de liderazgo y una señora se me acercó con lágrimas en los ojos y me dijo, "¡Usted está ungido! Y necesito sembrar algo en usted ahora mismo. ¿Está dispuesto a recibirlo?" Vi dinero en sus manos y mi primer instinto fue pedirle que lo guardara. Pero recordé la idea de recibir en la medida que doy, y gentilmente acepte el dinero que ella sembraba en mí.

Me di cuenta de que cuando no me había dado permiso de recibir de otros, había en realidad bloqueado sus bendiciones. Esto impedía el flujo de la naturaleza divina.

El punto es que si hay áreas de tu vida en las que tienes carencia, insatisfacción con un resultado, o quieres amplificar tus resultados, ahora tienes un punto focal que te puede guiar de tal manera que haga fluir tu vida. Mi enfoque principal es aumentar la alegría en el mundo y estar abierto a recibir en la medida que doy.

Si expresamos más nuestros dones y sueños, se amplificarán en mayor medida al ritmo de la naturaleza, y las cosas empezarán a cambiar. La energía pasa de negatividad a positividad. ¿Vas en la dirección que van los demás o vas a ser lo suficientemente audaz y valiente para seguir el llamado de tu corazón y fluir con el ritmo de la naturaleza?

EJERCICIO:

1. Piensa en todas las personas con las que ha entrado en contacto hoy y practica edificarlas en tu mente. Dales tu máxima consideración y pensamientos de abundancia.
2. Deja todos los lugares a los que vas mejor que como los encontraste, sin esperar nada a cambio. La recompensa se encuentra en la noción de agregar valor desde un corazón al que genuinamente le importa.

3. Cuando alguien ofrezca apoyarte con cualquier cosa o trata de darte un regalo, te sugiero que no lo rechaces tan rápidamente. Ellos están en el acto de dar, y puedes estar bloqueando tanto tus bendiciones como las de ellos al no permitir el flujo de la naturaleza en el intercambio entre ustedes.
4. Siempre debes ser intencional al decir "gracias" o "de nada". Es muy fácil decir las cosas cuando tenemos programado hacerlo. Cuando actuamos de forma intencional, viene de un espacio muy diferente, nos permite estar presentes y en el momento. Imagínate que la palabra *gracias* viene de un corazón del tamaño de una montaña y la dices desde un espacio de absoluta gratitud. Imagínate que las palabras *de nada* son recibidas por un corazón del tamaño de una montaña.

Son ejercicios diarios muy sencillos que desarrollarán el músculo de dar y recibir.

El ave es un ave; y el pez, un pez. Sin embargo, si el ave intentara ser un pez, ¿podrías ver lo difícil que sería la vida?

El ave usa todo aquello con lo que nació, lo que ya tiene dentro, y esa alineación le permite volar.

Ahora imagina si nosotros los humanos usáramos todo que lo que ya tenemos dentro. Nuestra versión de vuelo es fluir continuamente.

Lo que buscas ya lo tienes. La alineación es la clave.

CAPÍTULO 9

Quédate en línea con el grupo

Cuando la mente, el cuerpo y el alma se unen en uno solo es cuando viviremos la experiencia de nuestra naturaleza auténtica fluyendo.

Una vez hablé en una conferencia de liderazgo en Sudáfrica. Mientras estaba allí fui a un safari, algo que siempre había querido hacer desde que tenía cinco años. Cuando llegué, no sabía qué esperar. Solo sabía que estaba excesivamente ansioso, como un niño en la tienda de dulces.

Nos dieron una lista de instrucciones, y no me interesó leerlas o escuchar nada de lo que el guardaparque dijo. Estaba claro que yo tenía mi propia agenda. En ese momento Ross, el guardaparque, me dijo que me calmara y me explicó el entorno natural del terreno. "Los animales aquí son muy peligrosos. Pueden sentir tu energía. Además, no ven los colores, ven formas. Por eso siempre quieres quedarte en línea con el grupo. Los animales están acostumbrados a ver ciertas formas, así que cualquier cosa que cambie la forma del grupo representa una amenaza y nos pone a todos en peligro".

Lo vi con curiosidad porque no tenía idea de lo que estaba hablando. Básicamente dijo, "No hagas mucho ruido, enfócate en la gratitud y mantén todas las partes de tu cuerpo dentro del vehículo". Yo me dije a mí mismo, oigo lo que él está diciendo, pero igual voy a filmar con mi *selfie stick*. Como era un sueño de mi niñez, yo definitivamente estaba actuando con una mentalidad infantil. Todo me entró por un oído y me salió por el otro.

Cuando salimos al safari, estaba comprometido a hacer lo que yo quería hacer. Después de que el guardaparque me dijo varias veces que me calmara, que me enfocara en la gratitud, que bajara la voz y que no sacara los brazos del vehículo, luego eran los otros pasajeros quienes me estaban pidiendo que estuviera quieto. Pensé, "¿Qué sabe esta gente?" Podía ver que todos estaban exasperados conmigo por mi actitud, pero no me importaba.

Al día siguiente íbamos a hacer una caminata por la sabana y en ese momento no tenía idea de qué se trataba, así que le pregunté a Ross, el guardaparque. Me respondió, "¿No firmaste la hoja de descargo de responsabilidad?" Me acordé que ni siquiera la había leído, solo marqué sí en todas las casillas. Básicamente le mentí y le contesté sí, "la leí".

Cuando él nos estaba dando instrucciones y dijo que íbamos a caminar dos millas, interrumpí expresando, "Espera un momento, ¿no vamos a ir en el vehículo?" Me volvió a decir, "es una caminata por la sabana". Le repliqué,

"Allí tienes todos esos animales asesinos y tú solo llevas un rifle con seis balas. ¿Qué pasa si usas todas las balas? ¿Entonces qué?"

Su respuesta fue, "Enfócate siempre en la gratitud y hagas lo que hagas, quédate en línea con el grupo." Caminamos dos millas desde la cabaña y le tenía terror hasta al sonido del viento. Los grillos sonaban como dinosaurios y casi me da un ataque al corazón. Luego llegamos a un campo abierto del tamaño de tres campos de fútbol, y en la distancia podíamos ver como se alejaba un rinoceronte. Yo de veras quería filmar, así que saqué mi *selfie stick* y lentamente empecé a dar pasos a la derecha alejándome del grupo. Le estaba hablando a la cámara cuando Ross, el guardaparque, me interrumpió diciendo, "Garrain, ¿dónde estás tú y dónde estamos nosotros?" Cuando me volví hacia él, noté que estaba como a diez pies del grupo y le dije, "No va a pasar nada. El rinoceronte está por allá caminando en dirección contraria". Él me contestó, "Sí, pero tienen un gran sentido olfato, y si una ráfaga de viento sop..."

Antes de que pudiera terminar de hablar, sopló una ráfaga de viento y de repente el rinoceronte paró y se volvió hacia nosotros. Cuando el rinoceronte dio fuertes pisadas, Ross, el guardaparque, agarró su rifle y dijo "Garrain, baja la cabeza, enfócate en la gratitud y regresa con el grupo". Dirigí la mirada hacia la derecha y vi a una mamá elefante a veinte pies de distancia moviendo las orejas con fuerza, mirándome fijamente y caminando hacia mí. En ese momento me di cuenta que al estar a diez pies del grupo me había puesto en el mismo territorio que sus bebés.

Todas las veces que no escuché pasaron por mi mente, solo que esta vez Ross, el guardaparque, estaba a pocos segundos de jalar el gatillo porque una mamá elefante y un rinoceronte amenazaban con arremeter en mi dirección. El peligro que corría mi vida estaba confirmado. No podía oír nada, y sentía como que el corazón se me iba a salir del pecho. Ross, el guardaparque, agarró su rifle, lo cargó y su tono de voz cambió cuando repitió en voz baja, "Garrain, baja la cabeza, enfócate en la gratitud y regresa con el grupo". Cambié mi mentalidad y bajé la cabeza, me enfoqué en todo lo que agradecía, y eso bloqueó todo lo demás y lentamente regresé con el grupo. En menos de 30 segundos los dos animales se alejaron. En ese instante estaba tan agradecido de que no me pasó nada a mí ni al resto del grupo, y aún más, de que ningún animal resultó lastimado por mi terquedad.

Mi vida cambió en ese momento. Ahora sabía lo que era la alineación. Repetí las palabras de Ross, el guardaparque, en mi mente una y otra vez, "Quédate en línea con el grupo", cuando una revelación me llegó como una ráfaga de viento frío. Recordé todas las veces que las cosas habían salido mal en mi vida, mis relaciones, despidos de trabajos, ir a prisión, vivir en mi coche, desconexión con mi familia y sobre todo desconexión conmigo mismo. Comprendí que todo eso había salido mal porque no me había alineado con mi bien supremo en mente, cuerpo y alma. Fue hasta que mi vida estuvo en peligro que pude encarnar el momento presente y realmente ver mi mente, cuerpo y alma, y eso solo fue posible hasta que bajé la cabeza y me enfoqué en la gratitud. La gratitud es el pegamento que mantiene todo unido en la vida. La protección y el resguardo se encuentran al enfocarse en la gratitud y regresar en línea con el grupo. Tuve un momento de gracia.

Ahora, cada vez que siento que algo no está bien en mi vida, reflexiono y evalúo qué está pasando en mi mente para ver si está alineada con el bien supremo. Agachar la cabeza es una señal de humildad y elegí poderosamente sentirme agradecido por donde estaba y lo que tenía. Practico autocuidado, desarrollo personal, y oro y expreso una cantidad extrema de gratitud. Comparto todo lo que agradezco, como el día que me encontré frente a frente con los animales del safari.

En esos momentos puedo ver y sentir mi yo auténtico en su esencia. Puedo ver cuándo y dónde las cosas no están funcionando en mi vida y ¡boom!, regreso con el grupo.

Ese safari tuvo un impacto importante en mi vida. Sentí que Dios me confirmaba las consecuencias de no vivir en alineación. Recordé todos los momentos en los que estaba de lo más perdido y abatido, y cada uno de ellos ocurrió cuando no estaba alineado, ya sea mental, emocional, física o espiritualmente. Las veces cuando todo iba maravillosamente bien era cuando todas esas partes estaban enfocadas y eran una prioridad, Estaba orando y meditando todos los días. Era constante con mis hábitos de ejercicio y de lectura. Curiosamente, era en esos momentos cuando las cosas fluían en mi vida, aunque ni estaba consciente de lo que hacía.

Considera la mente, el cuerpo y el alma como una armonía de tres partes. Si cantas una sola nota fuera de tono, arruinas toda la canción. O un taburete de tres patas, si le quitas una, se cae.

Todos los días que no cuidas tu alineación, corres el riesgo de vivir en colapso constante. "Quédate en línea con el grupo." Cuando la mente, el cuerpo y el alma se activan simultáneamente, es lo que yo llamo *el fluir*.

Analicemos la naturaleza por un momento. Considera que la naturaleza es el compás de Dios, y la naturaleza tiene un ritmo y un flujo para todo. Hay calma y serenidad en este flujo. Por lo tanto, cuando estamos en la naturaleza o en alineación, seguimos el compás de Dios. En la naturaleza, las cosas funcionan. La naturaleza fluye, no trabaja contra sí misma, está alineada consigo misma.

Digamos por ejemplo, un pez, no pregunta cómo nadar o si debería ser un pez; usa todo lo que ya lleva dentro de sí para fluir con su ambiente.

Si el pez tratara de ser un ave, podría tener muchos problemas. El pez tendría que aprender a respirar fuera del agua, necesitaría alas para volar y tendría que aprender a construir un nido. Entre más lo piensas, más ridículo se vuelve. Sería estar fuera del ritmo de su verdadera naturaleza. Ahora te puedes dar cuenta de lo inconcebible que sería esto, pero es lo que muchos humanos hacen. Tratan de ser algo que no son y se preguntan por qué su vida es tan difícil.

Ojalá no estés tratando de ser un ave o un pez, pero si de verdad empiezas escuchar lo que te dices a ti mismo sobre lo que deberías hacer, lo que ya deberías haber logrado, o cómo tu dinero, tu casa, tu trabajo o tus relaciones deberían ser como lo que tienen los demás, quizá empieces a ver cuánto te opones al flujo de la naturaleza y tu camino de vida. Estás tratando de ser un pez que quiere ser un ave.

Nuestro propósito aquí en la tierra es vivir nuestra máxima expresión utilizando todo la que ya está dentro de nosotros.

Al ver dónde estás fuera de alineación con tu mente, cuerpo y alma, puedes poner manos a la obra para crear una rutina o práctica que apoye al Grupo.

EJERCICIO:

El Grupo = Mente, Cuerpo y Alma

Toma un momento para evaluarte a ti mismo. Si aún no has creado una práctica para estar en alineación con el Grupo, escribe algunos métodos que te gustaría explorar para poder conectarte con el Grupo (Mente, Cuerpo y Alma). Para algunos de ustedes, puede haber múltiples maneras de conectarse con el Grupo. La clave es descubrir el método que te edifique y te conecte con tu sistema operativo. Cuando mente, cuerpo y alma se activan al mismo tiempo, se crea la alineación, lo que es necesario para que las cosas fluyan.

Mente:

¿Cómo haces crecer tu mente de forma intencional? ¿Qué haces para procesar una decisión importante?, o ¿qué prácticas tienes para mantener la calma en el ajetreo de la vida? Aquí tienes unos ejemplos: meditar, llevar un diario, leer o encontrar maneras de aprender algo nuevo.

Escribe tres maneras que harán crecer tu mente y permanecer conectado a lo que es más importante para ti.

1.
2.
3.

Cuerpo

¿Cómo te sientes más conectado a tu cuerpo? Para algunas personas es hacer ejercicio, caminar en la naturaleza o jugar afuera con sus hijos.

Escribe tres cosas que te hacen sentir de lo mejor y que hacen funcionar tu cuerpo de forma óptima.

1.
2.
3.

Alma:

¿Cómo te sientes más conectado a tu alma? Para algunos de ustedes es a través de la oración, meditación, ejercicios de respiración, silencio intencional.

Escribe tres cosas que te hacen sentir más conectado con tu alma.

1.
2.
3.

Una vez que has identificado los métodos que te conectan con el Grupo, ahora tendrás una Base. Cuando sientes que algo no está bien o todo se está desmoronando, tendrás una base a la que ir para determinar lo que hace falta, y de allí, puedes volver a alinearte con el Grupo. Es esencial incorporar a nuestra rutina diaria los métodos que favorecen específicamente al Grupo. Al ponerlo todo en práctica de forma constante verás un cambio en tu energía, concentración y fuerza de voluntad. Estar alineado es la Base, o sea quedarse en línea con el Grupo, así que no cambies la forma del grupo. Lo que acabas de aprender sobre el Grupo y cómo activarlo es una poderosa herramienta que te ayudará en cualquier situación de vida. Solo tienes que asegurarte de quedarte en línea con el Grupo.

¿Sigues esperando hacer lo que hace años dijiste que ibas a hacer?

"Naciste parecido a tu mamá y papá, pero morirás parecido a tus decisiones.

No seas víctima de la indecisión.

COMIENZA AHORA

Cambia tu mente Cambia tu vida".

Año del CAMBIO

DO	LU	MA	MI	JU	VI	SA
Ahora	Ahora	Ahora	Ahora	Ahora	Ahora	Ahora
Ahora	Ahora	Ahora	Ahora	Ahora	Ahora	Ahora
Ahora	Ahora	Ahora	Ahora	Ahora	Ahora	Ahora
Ahora	Ahora	Ahora	Ahora	Ahora	Ahora	Ahora
Ahora	Ahora	Ahora	Ahora	Ahora	Ahora	Ahora

No hay calendarios en el cielo. COMIENZA AHORA porque algún día nunca llegará.

Feliz
Año
Ahora

CONCLUSIÓN

Feliz Año AHORA

No hay calendarios en el cielo, todo lo que tenemos es el ahora.

Todo lo que tienes es hoy, ahora mismo. No hay calendarios en el cielo. Cualquiera que sea el fin para el que fuiste diseñado, lo que sea que sientas que está en tu corazón, no esperes hasta mañana, porque el mañana tal vez no llegue. Hazlo ahora y permite que podamos verte en tu máxima expresión.

Una experiencia específica que me recordó la importancia de este consejo fue cuando mi abuela estaba agonizando en el hospital. Acababa de llegar a la casa de mi mamá en Houston, y estábamos platicando. Le pregunté cómo estaba y me contestó, "Ya no quiero que mi no quiero que mi mamá sufra". Me dijo que la habían transferido a cuidados paliativos y que era cuestión de tiempo.

Originalmente iba ir a visitar a mi *Big Momma* al hospital después, pero algo muy dentro de mí me dijo que tenía que ir antes, así que anuncié de inmediato, "¡Voy mañana! Solo tengo que ir, decirle lo que le tengo que decir, besarle la cabeza y luego me regreso".

Ya sabía que todo el mes habían tenido tormentas tremendas e inundaciones, pero insistí que iba a ir de todos modos. Cuando me desperté a la mañana siguiente, tenía muchos mensajes de texto diciéndome que no era buena idea ir manejando al hospital porque había muy mal tiempo y varias personas habían fallecido por las inundaciones. Yo seguía diciendo, "El momento es AHORA". La inundación estaba al punto que casi cubría las llantas de los coches, lo que significaba que en lugar de seis horas, iba a tomar casi el doble, pero tenía esta sensación ardiente dentro de mí y mi intuición me seguía diciendo *debes ir ahora, debes ir ahora, debes ir ahora.*

Mi amiga Gabriela y yo alquilamos un coche, y manejamos a través de árboles estremeciéndose, ramas rotas, inundaciones y oscuridad. Tenía una sensación que me quemaba el estómago, como si algo estuviera tratando de captar mi atención y se hacía más intensa a medida que nos acercábamos a nuestro destino.

Casi 10 horas después, cuando estábamos llegando a Texarkana, Texas, vi una luz en la distancia. Sin quitar el pie del acelerador seguimos avanzando, y vimos que la luz era el sol asomándose entre las oscuras nubes. Entre más nos acercábamos al hospital, la luz se hacía más brillante, y en cuanto nos estacionamos y salimos del coche, volví mi vista al cielo maravillado. Había nubes oscuras alrededor del hospital. Pero lo más raro era que el sol brillaba justo sobre el hospital, como si el rayo de sol estuviera partiendo las nubes, eso era lo que me decía la certeza y fe que tenía por haber seguido mi intuición. "¡Debes ir ahora! ¡Debes ir ahora! ¡Debes ir ahora!"

En ese momento comprendí algo, el sol siempre brilla, sin importar el clima. Aún si hay tormentas y nubes negras, el sol siempre brilla; solo está atrás de lo que tiene que pasar.

Nosotros somos los que cambiamos de acuerdo con el clima, pero si solo nos concentramos y nos damos cuenta de que siempre sale el sol, de que siempre habrá rayos de luz, felicidad y calor que irradian sobre nosotros.

Seguí mi intuición y atravesé la oscuridad para llegar a la luz donde mi *Big Momma* me esperaba. Aunque físicamente no podía hablar, nuestras almas se conectaron y se comunicaron. Le besé la frente, la reconocí por todo lo que hizo por todos. Le dije,

"Nosotros nos hacemos cargo a partir de ahora, *Big Momma*".

Ella milagrosamente esbozó una leve sonrisa. Me fui y *Big Momma* se volvió luz infinita a las cinco de la mañana ese día. Mi tío me dijo que ella me estaba esperando, y lloré de pura gratitud. Tenía todas las razones del mundo para no venir *ahora*, y esa experiencia nunca habría pasado. Confié, tomé acción, cumplí y el resto se hizo solo.

¿En qué partes de tu vida estás dejando las cosas para otro día? ¿Cuántas oportunidades te has perdido porque estabas esperando que llegara ese día? ¿Cuándo vas a lanzar esa idea? ¿Cuándo vas a escribir ese libro?

¿Cuándo vas a invitar a esa chica a una cita? ¿Cuándo vas a verdaderamente perdonarlo? ¿Cuándo vas a dejar esa adicción? ¿Cuándo vas a hacer de tu salud la prioridad más importante de tu vida? ¿Cuándo vas a dejar ese trabajo que no soportas que te está quitando la vida y te paga menos de lo que vales?

¿Cuándo vas a dejar esa relación en la que realmente no quieres estar, pero te quedas porque te tratan mejor de lo que te tratas a ti mismo? ¿Cuándo vas a darte cuenta de que mereces ser feliz? ¿Cuándo vas a descubrir que la única persona que puede hacerte feliz eres TÚ?

Voy a suponer que estas empezando a entender que esperar a que llegue ese día te está costando la vida. Incluso con el Año Nuevo, las personas esperan hasta el primero de enero para empezar a hacer declaraciones que literalmente pueden empezar a hacer ya. ¿Qué quiere decir exactamente "este es mi año", sobre todo cuando es lo mismo que el año pasado con los mismos resultados? Algo tiene que cambiar. Todo lo que tenemos es el AHORA, así que ¡Feliz Año AHORA!

Gracias

Reflexiones

Te reconozco por el milagro que eres. Ahora te toca reconocerte a ti mismo y la vida que estás destinado a vivir. Luego, dale la urgencia que se merece. El mañana no está garantizado, así que no demores tu extraordinaria transformación. Debes recordar. Recuerda quién eres en realidad en tu corazón. Es hora de redescubrir tu niño interior dentro de ti y ser tu maravilloso yo auténtico

Deja brillar tu luz intensamente tal y como estás destinado a hacer. Está allí, dentro tuyo, donde siempre ha estado. Hazlo por ti. Hazlo por el mundo. Hazlo ahora. Quiero agradecerte por permitirme unirme a ti en esta experiencia. Esa trayectoria es la vida. Si de verdad absorbes el mensaje y el espíritu con el que se escribió este libro, ya no serás la misma persona que eras antes de abrir este libro y te felicito por participar al máximo.

Ahora amigo mío, es hora de presentar ese nuevo yo al mundo, comenzando con tu propio reflejo. Párate frente a un espejo, respira profunda y lentamente tres veces inhalando por la nariz y exhalando por la boca, y mira a ese ser poderoso y dinámico que está lleno de amor y esperanza que te devuelve la mirada.

Di en voz alta cien cosas por las que sientes gratitud. Cuando termines, mira la portada de este libro y de verdad sigue recibe el título con los brazos abiertos, *Cambia tu mente, cambia tu vida*. Reflexiona sobre la manera en que el mensaje de este libro te dio una nueva perspectiva de cómo puedes cambiar tu propia vida. Ese es tu poder.

Recuerda todos los nuevos niveles de conciencia, los logros, los fracasos, lo que soltaste y las cosas que atrajiste a tu vida, y siente dentro de ti ese sentimiento.

Ahora con esa emoción, tómate una selfi, publícala en las redes sociales y preséntales a todos ese nuevo tú, el verdadero y auténtico. Comparte el mensaje de este libro con ellos. Comparte lo que aprendiste, lo que aplicaste y tus nuevos resultados. Ahora vas en camino a lograr cosas más grandes. Esto es solo el inicio de mucho más. Eres amado. Estoy orgulloso de ti. Te reconozco. Eres digno, eres especial, eres importante, tú importas y eres todo lo que está asociado con la grandeza. Podría invertir diez capítulos más compartiendo lo que siento por ti, pero lo más importante, es lo que tú sientes sobre ti mismo.

Así que levántate, Rey, levántate, Reina, y demos ese paso hacia quienes estamos destinados a ser y aprovechemos al máximo lo que la vida nos ofrece. Cambia tu mente, cambia tu vida.

Acerca del Autor

Garrain Jones es un coach transformacional y un reconocido conferencista a nivel internacional. Después de superar una vida de adversidad y vivir sin techo, ahora inspira a otros a vivir vidas maravillosas llenas de abundancia. Habla ante audiencias por todo el mundo sobre el poder del cambio transformacional.

Para contratar a Garrain Jones como orador principal en su próximo evento o para facilitar un seminario, visite www.GarrainJones.com/hire

Made in the USA
Middletown, DE
30 June 2020